S0-AUT-605

책 읽는 방법을 바꾸면 인생이 바뀐다

•

백금산 지음

부흥과개혁사

부흥과개혁사The Revival & Reformation Press)는 교회의 부흥(Revival)과 개혁(Reformation)을 추구합니다. 부흥과개혁사는 부흥과 개혁이 이 시대 한국 교회를 향한 하나님의 뜻이라고 믿으며, 조국 교회의 부흥과 개혁의 방향을 위한 이정표이자, 잠든 교회에는 부흥과 개혁을 촉구하는 나팔소리요, 깨어난 교회에는 부흥과 개혁의 불길을 지속시키는 장작더미이며, 부흥과 개혁을 꿈꾸며 소망하는 교회들을 하나로 모아주기 위한 깃발이고자 기독교 출판의 바다에 출항했습니다.

독서법 시리즈 1

책 읽는 방법을 바꾸면 인생이 바뀐다

•

백금산 지음

부흥과개혁사

목차

독서법, 왜 중요한가?

올해 5월 분당에 있는 어느 목회자 모임에서 독서법 특강을 해 달라는 요청을 받고 집을 나설 때입니다. 제 아내가 저에게 "목사가 설교를 하러 갈 생각을 해야지 독서법 특강이나 하러 다니면 되겠느냐?"고 핀잔을 주었습니다.

일리가 있는 말이었습니다. 그 동안 수련회 · 사경회 · 부흥회 등의 집회에서 설교도 많이 했지만 여러 세미나에서 독서법 특강을 한 것도 적지 않았기 때문입니다.

그러나 저는 이런 답변을 했습니다. 그리고 이 생각은 지금도 변함이 없습니다. 다만, 이제는 독서법에 대한 책으로 독서법 강의를 대신하고자 합니다.

"한 번의 집회에서 성경의 내용 한 가지를 설교하는 것도 유익하지만 성경을 공부하는 방법을 가르쳐 주는 것은 더욱 중요하다. 물고기 한 마리를 잡아 주면 한 번의 식사밖에 하지 못하지만, 물고기 잡는 방법을 가르쳐 주면 평생을 먹고 살 수 있다. 내가 전한 독서법 강의는 바로 목회자나 신학생 혹은 성도들이 평생 신앙 성숙에 도움되도록 도와주는 물고기 잡는 방법을 가르쳐 주는 것이다."

무엇이 가장 좋은 독서법인가?

'무엇이 가장 좋은 독서법인가' 라는 물음은 '무엇이 가장 좋은 식사도구인가' 라는 물음과도 같습니다. 음식의 종류도 다양하고 음식도구도 다양합니다. 그런데 어느 한 가지만의 식사도구로 모든 종류의 음식을 먹을 수는 없습니다. 자기가 먹고자 하는 음식의 종류에 따라 식사도구도 달라져야 합니다.

예를 들어, 한식을 먹을 때는 주로 숟가락과 젓가락을 사용해야 합니다. 한식의 특징은 국물 있는 음식이 많고, 나물 반찬도 많기 때문입니다. 반면, 양식을 먹을 때는 주로 칼이나 포크를 사용해야 합니다. 고기 종류의 음식이 많기 때문입니다. 숟가락 하나로 모든 음식을 먹을 수는 없습니다. 포크 하나로 모든 음식을 먹을 수도 없습니다.

즉, 한 가지의 식사도구만으로 모든 종류의 음식을 먹을 수는 없습니다. 음식의 종류에 따라 식사도구는 달라져야 합니다. 가장 좋은 식사도구란 음식의 종류에 가장 잘 맞는 식사도구입니다.

이것은 마음의 음식 혹은 영혼의 양식을 먹는 독서법에 있어서도 마찬가지입니다. 가장 좋은 독서법이란 독서의 목적에 가장 잘 맞는 독서법입니다.

독서의 목적과 독서 방법의 종류는 얼마나 되는가?

독서의 목적은 여러 가지입니다. 크게 즐거움을 위한 독서와 인격 성숙을 위한 독서 그리고 정보를 얻기 위한 독서로 나눌 수 있습니다.

독서의 방법도 여러 가지입니다. 독서에 입을 사용하느냐의 여부에 따라서 음독(소리내어 읽기)과 묵독(소리내지 않고 읽기)으로 나눌 수 있습니다. 독서하는 속도에 따라서 정독(천천히 읽기)과 속독(빨리 읽기)으로 나눌 수 있습니다. 독서하는 분량에 따라서 소독(조금 읽기)과 다독(많이 읽기)으로 나눌 수 있습니다. 독서의 반복 여부에 따라 일독(한 번만 읽기)과 재독(반복해서 여러 번 읽기)으로 나눌 수 있습니다. 독서의 범위에 따라서 완독(처음부터 끝까지 읽기)과 부분독(특정부분만 골라 읽기)으로 나눌 수도 있습니다. 독서하는 태도에 따라 숙독(철저하게 읽기)과 개관독(대충 읽기)으로 나눌 수 있습니다. 독서의 방식에 따라 분석독(내용을 분해하면서 읽기)과 종합독(내용을 종합하면서 읽기)으로 나눌 수 있습니다. 이외에도 독서의 여러 기준에 따라 수많은 독서의 방법이 있을 수 있습니다.

독서법은 독서목적에 따라 달라져야 한다

제가 이 책 전체를 통해서 가장 강조하는 요점은 이러한 여러 가지 독서법은 독서의 목적에 맞게 사용되어야 한다는 것입니다. 어느 한 가지의 독서법만으로 모든 독서목적을 충족시켜 주는 만병통치약식의 독서법은 없습니다. 한 가지의 독서법만으로 모든 종류의 책, 모든 종류의 독서목적에 사용하려 해서는 안 됩니다. '정독이 옳고 속독은 잘못된 독서법이다. 혹은 반대로 속독이 옳고 정독은 잘못된 방법이다.' 이렇게 특정한 한 가지의 독서법만을 강조하고, 한 가지의 독서법만으로 모든 책을 읽으려고 하는 것은 잘못된 것입니다.

훌륭한 독서가들은 한 가지 독서방법만을 고집하지 않습니다. 독서의 목적에 따라 다양한 독서방법을 적절하게 구사합니다. 정독을 해야 할 때는 정독을, 속독을 해야 할 때는 속독을 합니다. 묵독을 해야 할 때는 묵독을, 음독을 해야 할 때는 음독을 하는 것입니다. 따라서 가장 좋은 독서법이란 독서의 목적에 가장 적합한 방법입니다.

제가 이 책에서 주로 다루고 있는 내용은 독서의 3가지 일반적인 목적 중에서 즐거움을 위한 독서를 제외한 인격 성숙을 위한 독서와 지식과 정보를 얻기 위한 독서의 목적에 가장 잘 맞는 독서방법을 제시하는 것입니다.

이 책의 제2장은 우리의 인격 성숙, 내면적 성숙, 혹은 신앙적 성숙이나 영적 성숙을 위한 독서의 방법론을 다루고 있습니다. 이러한 목적에 가장 잘 맞는 독서법은 철저하게 읽는 것입니다. 그리고 반복해서 읽는 것입니다. 즉, 정독과 재독은 인격 성숙과 신앙 성숙을 위한 독서의 가장 중요한 방법입니다.

제3장은 전문지식과 정보를 얻는 데 가장 필요한 독서의 방법론을 취급합니다. 이러한 목적을 위한 독서법은 많이 읽는 것입니다. 그리고 빨리 읽는 것입니다. 즉, 다독과 속독은 전문지식과 정보를 얻기 위한 가장 적합한 방법입니다.

그리고 1장은 이러한 독서법들에 대한 기초적인 이해를 돕기 위해서 독서법의 고전인 모티머 애들러 독서법의 핵심을 요약하고 알기 쉽게 설명했습니다. 이 부분은 독서법 전반에 대해 전반적인 큰 그림을 그려 주며, 독서법의 가장 기본적인 방법 혹은 단계를 보여 줍니다.

이 책의 전3장은 전체적으로 연관되었지만 각 장은 나름대로 독립적이기도 합니다. 그래서 관심 있는 부분부터 아무 장이나 먼저 읽어도 좋습니다. 1장은 다소 이론적인 부분이 많고 적용이 적기 때문에 딱딱하게 느껴질 수 있으나 독서법의 숲을 볼 수 있는 안목을 얻게 될 것이며, 2장과 3장은 원리에 대한 적용이 풍부하기 때문에 독서법의 나무에서 열매를 따먹는 즐거움이 있을 것입니다.

이제 독자들과 함께 독서법의 세계로 여행을 떠나겠습니다. 좀 더 상세하고 완벽한 독서가이드 북은 차후를 기약하며 지금 당장 독서의 세계에서 길을 잃고 헤매는 많은 사람들을 위해서 거친 독서지도 한 장을 그려보았습니다. 이 독서지도를 들고 광야와 같은 독서여행을 떠나는 독자들에게 독서의 오아시스를 발견하는 기쁨을 얻게 되기를 바라며…….

2002년 성탄절을 앞두고 신촌에서 백금산

제1장

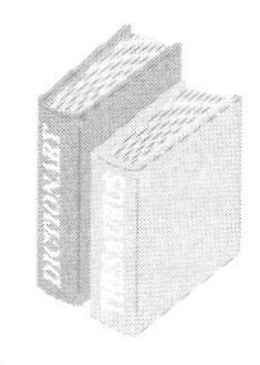

독서법의 기본기를 마스터하라

1. 초급단계의 개관독서법
    1) 골라 읽기
    2) 대충 읽기

2. 중급단계의 분석독서법
    1) 분석독서의 1단계:책의 주제와 구조를 파악하라
    2) 분석독서의 2단계:주제를 내 말로 풀어쓰거나 예를 들 수 있어야 이해된 것이다
    3) 분석독서의 3단계:이해한 내용에 대해 찬성과 반대를 표시하라

3. 고급단계의 종합독서법
    1) 주제별로 읽어라
    2) 한 주제를 비교하면서 읽어라
    3) 종합독서법은 독서법의 최고봉

독서법을 배우려면 독서법의 명저부터 읽어라

어떤 새로운 분야를 공부할 때, 가장 빠르게 그 분야의 정상에 오르는 방법은 그 분야의 가장 뛰어난 선생을 만나거나 가장 뛰어난 명저를 읽는 것입니다.

독서법을 배우려고 할 때도 마찬가지입니다. 독서법 분야의 고전 혹은 명저를 독파하면 독서법에 대해 가장 빠르게 그리고 정확하게 배울 수 있습니다. 그래서 저는 독서법에 관한 가장 고전적인 명저 한 권을 소개하면서 독서법에 대한 강의를 시작하려고 합니다.

독서법의 고전 모티머 애들러의 「독서법」

제 개인적인 견해로 모티머 애들러의 「독서법」(*How to read a book*)은 지금까지 독서법에 관해 쓰여진 책 가운데 가장 뛰어난 책이 아닐까 생각합니다.

독서법의 저자 모티머 애들러는 미국 콜롬비아 대학에서 6년 동안 그리고 시카고 대학에서 10년 동안 계속해서 학생들에게 독서법을 지도한 독서법의 대가입니다. 애들러는 오랜 동안의 자신의 독서지도 경험을 바탕으로 이 책을 썼습니다. 또한 공동저자인 찰스 반 도렌 교수와도 8여 년 동안 시카고 · 샌프란시스코 등에서 계속 명저에 대한 토론과 실제적 세미나를 함께 열면서 공동작업을 했습니다.

모티머 애들러의 독서법은 1940년에 초판이 나온 이래 공전의 베스트셀러가 되었고, 이후 1966년에 개정판이 그리고 또다시 1972년에 3번째 개정판이 나올 정도로 지속적인 보충 내지 보완 작업을 통해 명실상부한 독서법의 고전으로 자리잡은 명저입니다.

모티머 애들러 독서법의 국내 번역 현황

이러한 명성에 걸맞게도 국내에서는 현재 모티머 애들러의 독서법에 관한 3권이 모두 번역되어 있습니다. 1940년에 나온 제1판은 찰스 반 도렌(Chales Van Doren)교수와 공동 집필한 것으로 범우사에서 「독서의 기술」(1986)이라는 제목으로 나왔습니다. 1966년에 나온 2판은 모티머 애들러 단독 저술로서 출판사 청하에서 「자유인을 위한 책

읽기」(1988)라는 제목으로 번역되었습니다. 마지막으로 1972년에 개정된 3판은 다시 찰스 반 도렌 교수와의 공동저작으로 쓴 것인데 예림기획에서 「논리적 독서법」(1997), 멘토에서 「생각을 넓혀 주는 독서법」(2000)이라는 제목으로 각기 발간되었습니다.

모티머 애들러 독서법의 개정판에 따른 내용 차이

제1판의 목록을 보면 크게 4부로 구성되어 있습니다. 제1부에는 독서의 의의와 더불어 독서의 제1단계에 대해서 그리고 2부에는 분석 독서, 3부는 문학을 읽는 법, 4부는 주제별 독서에 대해서 다루고 있습니다.

제2판(1966)의 특징은 '명저 읽기의 길잡이' 라는 부제가 말해 주고 있듯이 명저 읽기의 지침서로서 기획되었습니다. 이것은 독서법의 초판(1940)이 나온 이래 엔사이클로피디아 브리태니커사에 의해서 1952년이래 「서양 고전 해설 전집」이 간행되어 수십 만의 미국 가정과 거의 모든 공공 또는 학교 도서관에 비치되었기 때문입니다. 따라서 애들러는 이러한 명저 읽기에 대한 길잡이로서 특별히 부록에 명저 목록을 싣고, 이러한 명저 읽기에 대한 중요성을 강조하는 데 역점을 두었습니다.

제3판(1972)은 4부로 되어있는데 이것은 초판의 4부와 비교해 보면 제목과 구조는 비슷하지만 내용 면에서 전체적으로 초판을 완전 개정한 것임을 알 수 있습니다. 특히, 초판의 3부가 문학서를 읽는 법만을 다루었는데 3판에서는 문학작품만이 아니라 실용서 · 역사서 · 과학과 · 수학서 · 철학서 · 사회과학서 등 다양한 장르별 책읽기에 대한 종합적 안내를 해 주고 있습니다.

모티머 애들러 독서법의 동일한 핵심 내용

그러나 1판에서 3판까지의 기본적인 독서법의 핵심요소는 언제나 동일합니다. 이것은 1단계 개관독서법 · 2단계 분석독서법 · 3단계 종합독서법이라 말할 수 있습니다. 이 3가지 수준 혹은 단계의 독서법에 대한 설명이 모티머 애들러 독서법의 핵심입니다.

모티머 애들러 독서법을 독파해서 얻는 유익

따라서 애들러가 제시하는 3단계 독서법을 잘 마스터하면 독서법의 기본기를 마스터하는 셈이 됩니다. 그리고 이러한 독서 기본기가 잘 다듬어지면 문학이건, 역사책이건, 철학 책이건 어떤 장르의 책이라도 잘 읽을 수 있는 기초가 갖추어지게 됩니다.

책 읽는 법은 글쓰는 법과는 정반대의 과정입니다. 따라서 독서법의 기본기를 잘 익히는 것은 작문법의 기본기를 잘 익히는 것이 될 수 있습니다. 논술의 기본이 책읽기라는 뜻입니다. 책을 잘 읽는 사람은 논술도 잘 할 수 있다는 뜻입니다.

독서법과 작문법은 사실 모든 공부의 기초입니다. 모든 공부, 모든 학문의 기초는 바로 책읽기에서 시작하는 것입니다. 따라서, 독서법의 기본이 되는 모티머 애들러의 독서법의 내용을 잘 터득하는 것은 책읽기와 글쓰기 그리고 공부의 기초를 놓는 것과 마찬가지입니다.

모티머 애들러가 독서법을 쓰게 된 이유

모티머 애들러가 1940년대에 독서법을 쓰게 된 이유는 미국의 대학교육이 실패했다는 반성 때문이었습니다. 모티머 애들러는 대학생들을 교육하면서 대학교육을 통해 많은 사람들이 많은 정보를 얻기는 하는데, 대학교육을 받고 나서도 많은 미국 대학생들이 스스로 책을 읽는 법을 모른다는 것을 발견했습니다. 대학 졸업장을 받고 난 다음에도 스스로 책을 읽을 줄 아는 사람이 거의 없다는 사실은 미국의 교육이 실패했음을 보여 준다고 생각하게 된 것입니다.

원래 13세기 초 서유럽에서 근대적인 의미의 대학이 처음 출현했을 때, 대학의 기본적인 커리큘럼은 문법 · 논리학 · 수사학 · 산술 · 음악 · 천문학 · 기하학이었습니다. 이러한 기초 교양과목을 배우고 나서야 의학 · 신학 · 법학 등의 전문분야의 공부를 하게 했습니다. 그리고 기본교양과목의 가장 중요한 기초는 바로 문법 · 논리학 · 수사학이었습니다. 이 과목들은 한 마디로 말과 글을 잘 하기 위한 것입니다. 글을 잘 읽는 법이요, 글을 잘 쓰는 법입니다. 또한 다른 사람의 말을 잘 알아듣는 법이요, 다른 사람에게 말을 잘 하는 법입니다.

이러한 인간의 의사소통에 대한 기본적인 강조는 사실 중세를 넘어 고대의 그리스 · 로마시대의 교육에까지 거슬러 올라가는 것입니다. 그런데 현대의 중 · 고 · 대학의 과정에서는 이러한 기초적인 문법과 논리학과 수사학 등을 체계적으로 다루지 않습니다. 그래서 독서법과 작문법을 제대로 배우지 않기 때문에 실제로 대학을 졸업하고도 독서를 바르게 할 줄 아는 사람이 드문 기현상이 생기는 것입니다.

그래서 모티머 애들러가 독서법을 집필하게 되었습니다. 독서법은 공부의 가장 기초가 되는 것이기 때문입니다. 따라서, 평생 교양인으로 살아가기 위해서는 독서법을 읽히는 것이 필수라고 보았습니다.

독서관에 대한 패러다임 쉬프트: 독서는 기술이다

독서법은 이처럼 우리의 삶에 있어서 아주 중요한 것입니다. 그렇다면 앞으로 여러분이 훌륭한 독서가가 되기 위해서는 어떻게 해야 할까요? 우선 독서관에 대한 생각의 변화가 일어나야 됩니다.

가장 먼저 독서가 하나의 기술이라는 것을 알 필요가 있습니다. '독서도 하나의 기술이다.' 라는 사실을 모르게 되면 독서를 단순히 '글자 해독' 이라고 오해하게 됩니다. 유치원이나 초등학교에서 문맹상태를 벗어나는 '문자 해독' 의 수준에 도달한 것을 마치 독서법을 다 배운 것 인양 착각하게 되는 것입니다. 그렇지 않습니다. 독서는 하나의 기술입니다.

이처럼 독서를 기술이라고 생각하게 되면 독서에 대한 태도가 근본적으로 달라집니다. 독서가 기술이라면 독서를 체계적으로 배워야겠다는 생각을 품게 됩니다. 따라서, 독서법을 배우는 것은 피아노 배우는 것이나 태권도 배우는 것과 마찬가지입니다.

그리고 독서가 기술이라면 독서법을 배우기 위해 많은 시간과 노력을 투자해야만 합니다. 어떤 분야의 기술이든지 기술에는 언제나 초보자와 숙련자가 있게 마련입니다. 기술의 초보자에서 숙련자의 단계로 올라가기 위해서는 많은 시간과 노력이 필요합니다.

독서는 기술이기 때문에 독서에도 수준과 단계가 있습니다. 즉, 독서의 수준에도 급수와 단수가 있어서 초급 수준인지, 중급 수준인지, 고급 수준인지를 구분할 수 있습니다. 독서법도 초급 수준에서 고급 수준으로 꾸준히 기술을 개발시켜 가야합니다.

모티머 애들러가 말하는 3단계 독서법

그렇다면 독서의 단계와 수준은 어떻게 구분할 수 있습니까? 어떻게 이러한 단계를 밟아 독서법의 훌륭한 기술을 익힐 수가 있습니까? 모티머 애들러가 말하는 기본적인 독서의 방법은 크게 세 가지로 나누어 볼 수 있습니다.

애들러는 제1수준의 독서를 '점검독서' 라고 부릅니다. 이 독서법은 '대충 읽기 · 훑어 읽기 · 개관 읽기 · 골라 읽기' 등의 이름으로 바꾸어 부를 수 있습니다. 이러한 1단계 독서법을 필자는 앞으로 초급단계의 '개관독서법' 이라고 부르겠습니다.

애들러는 제2수준의 독서법을 '분석적 독서' 라고 부릅니다. 이러한 분석적 책읽기란 '철저하게 읽기 · 꼼꼼하게 읽기 · 씹어서 소화되도록 읽기' 등으로 바꾸어 부를 수도 있습니다. 이러한 2단계의 독서법을 필자는 앞으로 중급단계의 '분석독서법' 이라는 말로 통일하겠습니다.

그리고 제3수준의 독서법을 애들러는 '종합독서법' 이라 말합니다. 이 종합독서법은 하나의 주제를 가지고 여러 권의 책을 비교하면서 읽는 방식이기 때문에 '주제별 독서법 혹은 연역법적 독서법' 이라고 할 수도 있습니다. 이런 종합독서법은 논문을 쓰거나 강의를 준비할 때 주로 사용합니다. 필자는 3단계의 고급 독서법을 '종합독서법' 이라 부르겠습니다.

우리는 어떤 새로운 기술을 배울 때, 대략적으로 초급 · 중급 · 고급의 3단계로 구분하면 비교적 선명하게 감이 잡혀서 이해하기 쉽습니다. 그래서 필자도 독서법의 단계를 1단계 · 2단계 · 3단계로 말하기보다 초급단계 · 중급단계 · 고급단계로 부르도록 하겠습니다.

첫 번째, 초급단계는 책을 훑어서 개관적으로 읽는 방법입니다. 두 번째, 중급단계는 한 권의 책을 아주 철저하게 소화할 때까지 읽는 방법입니다. 세 번째, 고급단계는 여러 권의 책을 비교해 가면서 한 주제를 따라서 자기 나름대로의 관을 세우는 독서방법이라 할 수 있겠습니다.

우리는 모티머 애들러가 말하는 이 3단계의 책읽기 방식을 모두 통달해야 책읽기에 대한 기본기를 마스터했다고 할 수 있습니다.

1. 초급단계의 개관독서법

개관독서법에는 크게 '골라 읽기' 와 '대충 읽기' 의 두 가지가 있습니다.

1) 골라 읽기

첫째, '골라 읽기' 라는 것은 책 전체를 다 읽지 않고 책의 한 부분만을 선택적으로 골라서 읽는 것입니다. '골라 읽기'를 하는 목적은 이 책의 내용이 내가 읽을 만한 가치가 있는 책인지 아닌지를 가려내기 위한 것입니다. 또한 이 책이 내게 필요한 책인지 아닌지를 알아내기 위한 것입니다.

이 책이 쓸 만한 책인지 아닌지를 알아내기 위해서 책 전체를 다 읽을 필요는 없습니다. 그것은 시간 낭비입니다. 또한 이 책이 내게 필요한지 아닌지를 알아보기 위해서 책 전부를 다 읽을 필요도 없습니다.

이런 정도의 목적이라면 책의 일부분만 살펴보면 됩니다. 책의 핵심 내용이 담긴 부분만을 골라서 읽으면 됩니다. 책의 핵심부분이 담겨져 있는 부분은 대부분 정해져 있습니다.

책의 성격과 핵심 내용을 빨리 알려면 첫째, 속표지나 서문을 보면 됩니다. 둘째, 목차를 보면 됩니다. 셋째, 색인을 보면 됩니다. 넷째, 표지에 있는 광고문을 보면 됩니다. 다섯째, 서론부분과 결론부분을 보면 됩니다. 이런 몇 부분을 골라서 읽으면 책의 전체 성격과 핵심내용을 개관할 수 있게 되는 것입니다.

이처럼 '골라 읽기'를 하는 목적은 이 세상에 책의 종류가 굉장히 많기 때문입니다. 그런데 우리는 이 모든 책을 다 읽을 수 없고 또한 읽을 필요도 없기 때문입니다. 따라서, 우선 책을 읽기 전에 무조건 처음부터 다 읽지 말고 내가 꼭 읽어야만 하는 책인가를 고르기 위해서 '골라 읽기'를 해야 합니다. 도서관이나 서점에서 우리가 수많은 책 중에서 내가 반드시 읽어야 할 책, 내게 필요한 책을 고를 때, 이 '골라 읽기'는 참으로 중요하며 꼭 필요한 개관독서법입니다.

2) 대충 읽기

개관독서법의 둘째는 '대충 읽기' 입니다. '대충 읽기' 란 한 권의 책을 일단 처음부터 끝까지 일사천리로 빠른 속도로 읽어 가는 것을 말합니다. 책의 내용이 이해되든지 되지 않든지 그냥 처음부터 끝까지 일단 한 번 대충 읽어 가는 것입니다. 이렇게 '대충 읽기' 를 통해서 책의 전체적인 내용과 흐름과 윤곽을 잡는 것입니다. 그리고 나중에 철저하게 다시 읽을 부분을 살펴보는 것입니다.

만일 처음부터 한 페이지 한 페이지 모두를 다 내용을 이해하고 넘어가려고 하면 많은 책을 읽을 수가 없습니다. 한 권의 책도 제대로 읽지 못할 것입니다. 중요한 부분은 나중에 다시 반복해서 완전히 이해하도록 읽으면 됩니다. 처음부터 모든 책을 매 페이지마다 완전히 이해하면서 읽어야 할 필요는 없습니다. 오히려 처음에는 책의 전체적인 숲을 본다는 의미에서 책을 빠른 속도로 통독하는 것이 필요합니다.

개관독서법은 독서의 첫 번째 단계로서 혹은 책읽기의 첫 번째 방법으로서 아주 중요합니다. 만일 책의 중요한 부분만을 골라서 읽는 '골라 읽기' 를 하지 않으면, 책을 다 읽고 나서 이 책은 괜히 읽었다든지, 읽지 않아도 될 책을 읽었다든지 하는 후회를 하게 됩니다. 이것은 시간 낭비요, 인생 낭비입니다.

또한 자기가 반드시 읽어야 할 중요한 책이고, 필요한 책이라 하더라도 그 책을 처음부터 완전히 100% 파악하며 읽으려고 한다면 우리는 책 한 권도 제대로 다 읽을 수 없습니다. 우선 처음은 50%만 이해되더라도 아니면 그 이하로 이해되더라도 이해되는 것만 대충 보면서 끝까지 계속 읽어 가는 것이 중요합니다. 이렇게 전체를 대충 읽고 나면 이 책의 중요한 내용이 담긴 부분, 혹은 내가 다시 꼭 반복해서 보아야 할 부분, 내가 이해하고 있는 부분과 이해하지 못하고 있는 부분 등의 여러 가지 내용을 구분할 수 있게 됩니다. 일단 이처럼 대충 한번 '훑어 읽기'를 한 다음 꼭 필요한 부분을 철저하게 읽으면 됩니다.

2. 중급단계의 분석독서법

다음으로 중급단계의 분석독서법은 내가 꼭 읽을 만한 좋은 책을 가지고 있을 때 책의 내용을 완전히 파악해서 나의 것으로 만드는 독서법입니다.

'정말 이 책은 내가 반드시 읽어야만 하는 책이다. 이 책은 내게 도움이 되는 책이다.'라고 판단이 되면 이런 책은 대충대충 훑어 읽기만 해서는 안 되는 것입니다. 이런 책은 아작아작 씹어 삼키고, 완전히 소화를 시켜서 나의 피와 살이 되도록 해야 합니다. 즉, 나의 사상 형성에 도움이 될 때까지 책을 철저하게 읽는 방법을 분석독서라고 이름합니다.

어떻게 한 권의 책을 나의 것으로 만들 수 있는가?

그렇다면 내가 한 권의 책을 완전히 나의 것으로 소화했다고 말하려면 어떤 상태에 도달해야 하는 것일까요? '한 권의 책을 철저하게 씹어

삼켜서 피와 살이 되도록 소화시켜라.' 라고 말하기는 쉽습니다. 그러나 어떻게 하는 것이 과연 나의 피와 살이 되도록 책을 소화한 상태인가 하는 것입니다.

제가 모티머 애들러에게서 가장 크게 도움을 받았던 것은 바로 이 부분입니다. '내가 어떻게 이 책을 완전히 소화했다고 말할 수 있는가?' 하는 것에 대해서 명확한 이해를 가지게 되었다는 점입니다.

적어도 분석독서법을 통해서 한 권의 책을 나의 것으로 만들었다고 말할 수 있으려면 최소한 다음의 3가지 사항이 파악되어야 합니다.

1) 분석독서의 1단계:책의 주제와 구조를 파악하라

분석독서의 제일 첫 단계는 책의 주제와 구조를 파악하는 것입니다. '한 권의 책을 나의 것으로 소화했다.', '한 권의 책을 철저하게 마스터했다.' 라고 말할 수 있으려면 가장 먼저 그 책의 '주제' 와 '구조' 를 파악해야 합니다.

책을 읽고도 주제를 파악하지 못한 사람은 초상집에 가 문상하고 나서 "도대체 누가 죽은 것입니까?"라고 말한 사람과 같은 것입니다. 또한 어떤 건물을 구경하고서 "이 건물이 무슨 건물입니까?"라고 말하는 사람과 같습니다. 또한 여행단에 참가해서 여행을 하고 나서 "우리가 어디에 갔다온 것입니까?"라고 물어보는 사람과 같은 것입니다.

주제란 무엇인가?

그렇다면 책의 주제란 무엇입니까? 주제란, 책 전체의 중심사상 혹은 핵심사상입니다. 책 전체에는 주제가 배어있고 주제가 흐르고 있습니다. 주제란, 책을 저술할 때의 전과정을 지배하는 중심사상이요, 책의 처음 문장부터 마지막 문장까지를 통제하는 핵심사상입니다.

따라서 책을 읽을 때 주제를 파악하지 못한 것은 책을 읽지 않은 것이나 마찬가지입니다. 한 권의 책의 주제를 파악했다는 것은 한 권의 책의 내용을 하나의 문장으로 요약할 수 있다는 뜻입니다. 적어도 3 내지 4개의 문장으로 책 전체를 요약할 수 있다는 뜻입니다.

이런 면에서 책의 주제는 책을 이해하는 열쇠와 같습니다. 책 전체를 하나의 단어로 요약하자면 '중심단어' 혹은 '열쇠단어'라 할 수 있고, 하나의 문장으로 요약하자면 '중심문장' 혹은 '열쇠문장'이라고 할 수 있습니다. 따라서 책의 주제를 파악한다는 것은 책을 이해할 수 있는 중심사상 혹은 열쇠사상을 파악하는 것과 마찬가지며 결국 책을 이해하기 위한 마스터키를 얻은 것과 마찬가지입니다.

주제와 구조의 관련성

그런데 주제와 구조는 아주 밀접한 관계를 가지고 있습니다. 주제라는 내용물은 언제나 구조라는 그릇을 통해 표현됩니다. 따라서 구조라는 그릇의 모양과 크기를 보면 그 안에 어떤 주제라는 내용물이 담겼는지를 미루어 짐작할 수 있습니다.

이러한 주제와 구조를 건축물에 비유한다면 주제는 건축물의 종류와 같고, 구조는 건축물의 설계도와 같습니다.

건물을 짓는 사람의 입장에서, 건물을 지을 때 가장 중요한 것은 먼저 어떤 종류, 즉 어떤 주제의 집을 지을 것인가를 결정해야 하는 것입니다. '주택을 지을 것인가? 도서관을 지을 것인가? 체육관을 지을 것인가?' 를 결정해야 합니다. 그 다음에는 정해진 건물의 용도에 맞게 설계도를 그려야 합니다. 즉, 도서관을 지으려고 주제를 결정하고 난 다음 '도서관을 몇 층으로 지을 것인가?, 각 층마다 몇 개의 방으로 나누어 서가, 열람실, 정기 간행물실, 매점, 화장실 등을 어디에 배치할 것인가?' 를 생각하고 그 구조를 결정해야 합니다.

그러나 건물을 구경하는 사람의 입장에서는 반대입니다. 건물의 구조를 보면 건물의 종류를 알 수 있습니다.

이것은 한 편의 글에서도 마찬가지입니다. 한 편의 글에는 반드시 주제와 구조가 있습니다. 그리고 주제와 구조는 서로 불가분의 관계로 연결되어 있습니다.

글을 쓰는 사람의 입장에서 볼 때는 먼저 주제를 선정하고, 그 주제에 맞는 구조를 결정해서 주제를 펼쳐나가기 시작합니다.

반대로 글을 읽는 사람의 입장에서는 먼저 구조를 파악해야 그 구조 속에 담긴 주제파악을 쉽게 할 수 있습니다. 그러나 때로 주제를 먼저 파악하게 되면 구조파악이 쉬워지는 경우도 있습니다.

이처럼 한 편의 글에는 반드시 주제(내용의 핵심)와 구조(형식의 핵심)가 있으므로 주제를 먼저 파악하고 구조를 파악하든지 아니면 구조를 먼저 파악하고 주제를 파악하든지 간에 반드시 이러한 구조와 주제를 파악해야만 한 편의 글 혹은 책을 나의 것으로 소화했다고 말할 수 있습니다.

적용: 요한계시록의 구조와 주제 파악

66권 성경책 중에서 가장 이해하기 어려운 성경책인 요한계시록을 예를 들어 이 사실을 한번 살펴보겠습니다. 요한계시록이라는 성경책을 읽을 때, 요한계시록을 완전히 이해했다고 할 수 있으려면 가장 먼저 요한계시록의 주제와 구조가 파악되어야만 합니다. 요한계시록의 구조와 주제가 파악되지도 않았는데 요한계시록을 이해했다는 것은 어불성설입니다.

그러나 한 권의 책의 구조와 주제를 파악한다는 것은 쉬운 일이 아닙니다. 특히, 요한계시록과 같은 이해하기 어려운 책은 더욱 그 구조와 주제파악이 어렵습니다. 따라서, 요한계시록의 경우 요한계시록을 연구하는 학자들에 따라서 요한계시록의 구조파악이 다릅니다. 학자들에 따라서 요한계시록을 2중 구조 · 3중 구조 · 4중 구조 · 5중 구조 · 6중 구조 · 7중 구조로 보기도 합니다. 이렇게 요한계시록의 구조파악이 다르다는 것은 요한계시록의 이해가 서로 다르다는 것을 말해 주는 것입니다.

요한계시록의 구조파악

제가 요한계시록을 연구한 결과 저는 요한계시록이 4중 구조로 되어 있다고 생각합니다. 따라서, 저의 요한계시록에 대한 이해는 바로 이 구조파악이 결정적인 역할을 하고 있습니다. 요한계시록의 구조는 '내가 성령 안에 있더니' 라는 4번 반복되는 어구에 달려있습니다. 요한계시록의 구조는 바로 영어로 하면 "in the holy spirit", 헬라어로 하면 "앤 프뉴마티"라고 하는 이 구절을(1:10, 4:2, 17:3, 21:10) 근거로 나누어지게 됩니다.

> 나 요한은 너희 형제요 예수의 환난과 나라와 참음에 동참하는 자라 하나님의 말씀과 예수의 증거를 인하여 밧모라 하는 섬에 있었더니, 주의 날에 내가 성령에 감동하여 내 뒤에서 나는 나팔 소리 같은 큰 음성을 들으니(1:9-10).

> 이 일 후에 내가 보니 하늘에 열린 문이 있는데 내가 들은 바 처음에 내게 말하던 나팔 소리 같은 그 음성이 가로되 이리로 올라 오라 이후에 마땅히 될 일을 내가 네게 보이리라 하시더라. 내가 곧 성령에 감동하였더니 보라 하늘에 보좌를 베풀었고 그 보좌 위에 앉으신 이가 있는데 (4:1-2).

> 또 일곱 대접을 가진 일곱 천사 중 하나가 와서 내게 말하여 가로되 이리 오라 많은 물위에 앉은 큰 음녀의 받을 심판을 네게 보이리라. 땅

의 임금들도 그로 더불어 음행하였고 땅에 거하는 자들도 그 음행의 포도주에 취하였다 하고, 곧 성령으로 나를 데리고 광야로 가니라 내가 보니 여자가 붉은 빛 짐승을 탔는데 그 짐승의 몸에 참람된 이름들이 가득하고 일곱 머리와 열 뿔이 있으며(17:3).

일곱 대접을 가지고 마지막 일곱 재앙을 담은 일곱 천사 중 하나가 나아와서 내게 말하여 가로되 이리 오라 내가 신부 곧 어린 양의 아내를 네게 보이리라 하고, 성령으로 나를 데리고 크고 높은 산으로 올라가 하나님께로부터 하늘에서 내려오는 거룩한 성 예루살렘을 보이니(21:9-10).

여기서 1장 10절과 4장 2절은 "내가 성령에 감동하였더니"라고 번역되어 있고, 17장 3절과 21장 10절은 "성령으로 나를 데리고"라고 번역되어 있지만 이것은 문맥에 자연스럽게 번역하기 위한 것이고, 직역하면 모두 "내가 성령 안에서"라는 의미입니다.

사도 요한은 성령 안에 있을 때마다 환상을 보게 되었습니다. 성령 안에 있다는 것은 성령으로 충만해져 있었다는 의미요, 성령의 부으심을 경험한 상태라는 말입니다. 계시록에는 요한이 4번 성령 안에 들어간 상태에서 본 4개의 환상이 나옵니다.

그러므로 요한계시록에서 4번 반복되는 "내가 성령에 감동하였더니"(1:10, 4:2, 17:3, 2:10)라는 어구가 계시록의 구조파악에 있어서 열쇠가 되는 셈입니다. 이러한 4개의 큰 환상 내에는 또다시 작은 환상들이 수십 개가 있습니다. "내가 보니"라는 문구로 시작되는 요한의 환상은 약 40여 개가 됩니다. 따라서 계시록의 전체적인 구조는 4개의 큰 환상 안에 작은 40여 개의 환상으로 구성되어 있다고 생각하면 됩니다.

요한계시록의 구조를 통해서 본 주제

계시록에 나오는 이러한 4개의 환상을 분석해 보면 우리는 계시록의 주제가 무엇인지를 분명하게 알 수 있습니다.

제1환상은 '일곱 촛대'에 대한 환상인데 '일곱 촛대'는 당시 소아시아 지방에 있었던 일곱 교회를 의미하므로 제1환상의 주제는 '교회'입니다.

제2환상은 '일곱 인 · 일곱 나팔 · 일곱 대접'에 대한 환상인데 이것은 모두 세상을 향해서 내려지는 심판이므로 주제는 '세상에 대한 심판' 즉 '세상'입니다.

제3환상은 큰 성 바벨론의 멸망에 대한 환상인데 여기서 큰 성 바벨론은 세상을 상징하므로 주제는 역시 '세상에 대한 심판' 즉 세상입니다.

제4환상은 거룩한 성 새 예루살렘에 대한 환상인데 여기서 새 예루살렘은 교회를 상징하므로 주제는 '교회'에 대한 것입니다.

결국, 요한계시록이 다루고 있는 중요한 환상의 내용은 교회(제1환상, 제4환상)와 세상(제2환상, 제3환상)의 본질에 대한 것입니다.

이것을 간단히 도식화하면 다음과 같습니다.

A : 제1환상: 역사적 교회(계1~3장)

B : 제2환상: 역사적 세상(계4~16장)

B' : 제3환상: 종말적 세상(계17~20장)

A' : 제4환상: 종말적 교회(계21~22장)

제1환상의 일곱 촛대의 의미

제1환상의 주제도 교회이고, 제4환상의 주제도 교회라면 제1환상의 교회와 제4환상의 교회는 어떤 차이점이 있습니까?

제1환상의 교회는 '일곱 교회'에 대한 환상인데, 이 일곱 교회는 지상에 있는 교회를 말합니다. 여기서 일곱 교회는 당시 로마제국 치하에서 소아시아에 속해 있는 오늘날의 터키 지역에 실제로 있었던 교회입니다. 그러나 7은 완전이라는 상징적 의미를 담고 있습니다. 그래서 일곱 교회는 단순히 소아시아지방에 있었던 일곱 교회만이 아니라 예수님의 초림 때부터 재림 때까지 시대와 지역을 초월해서 지상에 존재하는 모든 교회를 말합니다.

일곱 교회를 분류해 보면 예수님께로부터 칭찬만 받은 교회 · 칭찬과 책망을 함께 받은 교회 · 책망만 받은 교회 등의 3가지 부류로 나누어집니다.

전체적으로 7교회 가운데 5교회가 예수님께로부터 책망을 받고 '회개'하라는 요청을 받게 됩니다. 이것은 지상에 있는 교회는 아직도 여전히 죄와 투쟁하며, 세상과 투쟁하며 살아가는 교회로서 회개할 요소를 늘 가지고 있는 연약한 교회라는 것을 보여 줍니다.

또한 이 일곱 교회의 끝에는 각각 '이기는 자'에게 주어질 약속이 나와 있습니다. '이기는 자' 라고 하는 것은 '승리한 자' 라는 말인데 승리할 때까지 싸움이 있다는 사실을 보여 주고 있습니다. 즉, 일곱 교회는 세상에서 전투하는 교회입니다. 일곱 교회는 각각 일곱 도시 안에서 세상과 영적인 전투 속에 있는 교회를 말합니다.

그래서 일곱 교회는 지상의 모든 교회를 대표적으로 보여 주고 있는데, 불완전한 교회인 동시에 전투하는 교회의 특성을 지니고 있습니다.

제4환상의 새 예루살렘의 의미

이에 비해서 제4환상인 거룩한 성 새 예루살렘은 승리한 교회, 완성된 교회를 다루고 있습니다.

거룩한 성 새 예루살렘은 교회를 도시에 비유해서 설명하고 있습니다. '최후의 교회가 어떻게 완성될 것인가?' 하는 것이 새 예루살렘의 완성된 모습을 통해서 표현되고 있습니다. 새 예루살렘 교회가 보여 주는 것은 '천상의 교회, 승리한 교회, 이 세상의 일곱 교회가 예수님이 재림하실 때 궁극적으로 어떻게 완성될 것인가?' 하는 것을 보여 주고 있습니다.

따라서 일곱 촛대 교회가 예수님의 초림 때부터 재림 때까지 역사적으로 존재하게 될 모든 교회를 대표하고 있다면 거룩한 성 새 예루살렘 교회는 '예수님이 재림하실 때 어떻게 교회가 완성될 것인가?' 하는 것을 보여 주고 있는 것입니다.

또한, 제1환상의 일곱 교회와 제4환상의 새 예루살렘 교회는 깊은 관계가 있습니다. 계시록 2~3장에 나오는 제 1환상의 일곱 교회의 끝에 각각 '이기는 자'에게 약속된 내용을 모두 모으면 계시록 21~22장에 나오는 거룩한 성 새 예루살렘의 모습이 됩니다.

"이기는 그에게는 내가 하나님의 낙원에 있는 생명나무의 과실을 먹게 하리라."(에베소 교회)

"이기는 자는 둘째 사망의 해를 받지 아니하리라."(서머나 교회)

"이기는 그에게는 내가 감추었던 만나를 주고 또 흰 돌을 줄 터인데 그 돌 위에 새 이름을 기록한 것이 있나니 받는 자 밖에는 그 이름을 알 사람이 없느니라."(버가모 교회)

"이기는 자와 끝까지 내 일을 지키는 그에게 만국을 다스리는 권세를 주리니 그가 철장을 가지고 저희를 다스려 질그릇 깨뜨리는 것과 같이 하리라. 나도 내 아버지께 받은 것이 그러하니라."(두아디라 교회)

"이기는 자는 이와 같이 흰옷을 입을 것이요 내가 그 이름을 생명책에서 반드시 흐리지 아니하고 그 이름을 내 아버지 앞과 그 천사들 앞에서 시인하리라."(사데 교회)

"이기는 자는 내 하나님 성전에 기둥이 되게 하리니 그가 결코 다시 나가지 아니하리라. 내가 하나님의 이름과 하나님의 성 곧 하늘에서 내려오는 새 예루살렘의 이름과 나의 새 이름을 그이 위에 기록하리라."(빌라델비아 교회)

"이기는 그에게는 내가 이기고 아버지 보좌에 함께 앉은 것과 같이 하리라."(라오디게아 교회).

이것은 지상의 불완전한 일곱 교회가 결국 믿음의 승리를 통해 영광스러운 새 예루살렘 교회로 완성될 것을 보여 줍니다.

제2환상의 일곱 인 · 일곱 나팔 · 일곱 대접의 의미

제2환상의 주제도 세상이고 제 3환상의 주제도 세상이라면 이 두 개의 환상 사이의 주제에 있어서 차이점이 무엇입니까?

제2환상의 주된 내용은 '일곱 인 심판 · 일곱 나팔 심판 · 일곱 대접 심판'으로 구성되어 있습니다. 이 3개의 심판시리즈의 공통점은 이 심판들 모두 하나님의 보좌로부터 이 세상에 임하는 심판이라는 점입니다. 이러한 심판은 기본적으로 구약의 출애굽 당시 하나님께서 이스라엘 백성을 구원하시기 위해서 세상으로 상징된 애굽사람들 위에 내리신 열 가지 재앙에 비교되는 것입니다.

이 3개의 심판시리즈는 모두다 하나님께 반역한 세상을 대상으로 시행되는 하나님의 심판입니다. 그런데 이 3개의 심판이 벌어지는 세상의 범위를 보게 되면 차이가 있습니다.

일곱 인 심판 때는 1/4이 심판을 받습니다. 일곱 나팔 심판 때는 1/3이 심판을 받습니다. 일곱 대접 심판 때는 1/1이 심판을 받습니다.

일곱 인 · 일곱 나팔 · 일곱 대접 심판의 양상은 점점 심판의 범위와 강도가 강해지고 있다는 것을 보여 주고 있습니다. 따라서 이 3개의 일곱 심판 시리즈는 예수님 재림 전까지 역사의 과정 중에서 점진적으로 이 세상에 임하는 심판의 모습을 보여 주고 있습니다. 세상에 임하는 심판의 과정을 보여 주고 있습니다.

제3환상의 큰 성 바벨론의 의미

그러나 제3환상인 큰 성 바벨론의 심판은 역시 세상에 대한 하나님의 심판을 말하지만 이것은 예수님 재림할 때의 세상에 임할 최후의 심판을 말합니다. '이 세상이 궁극적으로 어떻게 될 것인가?' 를 보여 주고 있습니다. 그래서 큰 성 바벨론 심판(17~18장) 장면에 가장 반복되어 나타나는 말이 '일시에 망했다.' 라는 내용입니다.

> 화 있도다 화 있도다 큰 성, 견고한 성 바벨론이여 일시간에 네 심판이 이르렀다 하리로다(18:10).
>
> 화 있도다 화 있도다 큰 성이여 세마포와 자주와 붉은 옷을 입고 금과 보석과 진주로 꾸민 것인데 그러한 부가 일시간에 망하였도다(18:16~17).
>
> 화 있도다 화 있도다 이 큰 성이여 바다에서 배 부리는 모든 자들이 너의 보배로운 상품을 인하여 치부하였더니 일시간에 망하였도다(18:19).

그러므로 제2환상의 일곱인 · 일곱나팔 · 일곱 대접 심판은 예수님 재림 때까지의 세상이 받을 점진적인 심판의 모습을 보여 주고 있는 반면, 큰 성 바벨론은 예수님 재림할 때 최후의 심판을 받을 세상의 종말적 심판의 모습을 보여 주고 있습니다.

4개의 환상의 교차 대칭적 구조가 보여 주는 계시록의 주제

그러므로 계시록의 4개의 환상을 전체적으로 살펴보면 교회와 세상의 모습을 보여 주고 있다는 것을 알 수 있습니다.

제1환상과 제2환상은 교회와 세상 역사의 과정 안에서의 모습을 보여 주고 있습니다. 그리고 제3환상과 제4환상은 '세상과 교회가 궁극적으로 어떤 최후를 맞이할 것인가?' 하는 것을 보여 주고 있습니다.

제1환상의 일곱 교회의 완성된 모습이 제4환상의 거룩한 성 새 예루살렘의 모습입니다. 그리고 제2환상의 일곱 인 · 일곱 나팔 · 일곱 대접 심판의 완성된 모습은 제3환상의 큰 성 바벨론이 일순간에 멸망하는 모습입니다.

즉, 세상은 예수님 재림할 때까지 일곱 인 · 일곱 나팔 · 일곱 대접 심판의 모습으로 점점 강도 높은 하나님의 현재적 심판을 경험하다가 궁극적으로 큰 성 바벨론처럼 일순간에 멸망하게 된다는 것을 보여 줍니다.

그리고 교회는 일곱 교회와 같은 모습으로 존재하다가 결국 거룩한 성 예루살렘과 같은 모습으로 완성된다는 것입니다.

이러한 구조를 통해서 요한계시록이 우리에게 보여 주는 바는 바로 이 세상으로 상징된 큰 성 바벨론의 멸망과, 교회로 상징된 거룩한 성 새 예루살렘의 완성입니다. 이 세상 나라는 망하고 하나님의 나라는 세워진다는 것이 계시록의 구조가 보여 주는 생생한 그림입니다. 이와 같이 요한계시록의 주제는 이 세상 나라는 망하고 하나님의 나라는 완성된다는 것입니다. 이러한 계시록의 주제를 가장 명백하게 보여 주는 구절은 11장 15절입니다.

> 일곱째 천사가 나팔을 불매 하늘에 큰 음성들이 나서 가로되 세상 나라가 우리 주와 그 그리스도의 나라가 되어 그가 세세토록 왕노릇 하시리로다(계11:15).

2) 분석독서의 2단계:주제를 내 말로 풀어쓰거나 예를 들 수 있어야 이해된 것이다

분석독서의 두 번째 단계는 파악된 주제를 자신이 이해하고 있는 말로 바꾸어서 이해하거나 예를 들어서 설명할 수 있도록 하는 것입니다.

예를 들어, 아주 중요한 내용을 담고 있는 영어 문서를 발견했다고 합시다. 여기에 내가 알고 싶은 문제의 해답이 있다는 것도 알았습니다. 그런데 이 안에 담긴 내용을 다시 우리 한국말로 번역을 하지 아니하면, 나에게 아무런 도움이 안 되는 것입니다.

굉장한 보물이 담겨 있는 보물섬을 찾아가기 위해서는 보물섬에 찾아갈 수 있는 지도가 있어야 합니다. 한 책의 주제와 구조를 파악했다는 것은 마치 이 보물지도를 손에 넣은 것과 마찬가지입니다. 그러나 보물지도를 손에 넣었다고 해서 보물이 손에 들어온 것은 아닙니다. 그 다음 단계는 그 보물지도를 해독할 수 있어야 합니다. 이 보물지도를 해독하는 작업은 바로 내가 파악한 주제와 핵심 어구를 내가 이해하고 있는 말로 바꾸어 쓰는 것과 마찬가지입니다.

적용: 요한복음의 주제 이해하기

성경에 나오는 내용을 가지고 하나의 예를 더 들겠습니다. 요한복음은 구조상 요한복음 서론인 1장 1절에서 14절까지가 요한복음 전체의 축소판이라고 할 수 있습니다. 또한 요한복음 서론(1:1~14)의 핵심은 '말씀'이라는 단어입니다. 1장 1절을 보게 되면, 요한복음 전체의 주제가 되는 핵심단어가 반복해서 이렇게 나옵니다. "태초에 말씀이 계시니라. 이 말씀이 하나님과 함께 계셨으니 이 말씀은 곧 하나님이시라." 또한 1장 14절에서는 "말씀이 육신이 되어 우리 가운데 거하시매, 그 영광을 보니 아버지의 독생자의 영광이요, 은혜와 진리가 충만하더라."는 구절이 나옵니다. 이처럼 '말씀'이라는 단어는 요한복음 서론을 이해하기 위한 열쇠단어입니다.

물론 요한복음을 연구하는 학자에 따라서는 요한복음의 주제를 다른 방식으로 이해할 수도 있을 것입니다. 그러나 지금은 요한복음의 주제를 하나의 예를 들어서 설명하고 있으므로 일단 제가 말한 것처럼 요한복음의 주제어를 '말씀'이라고 해 봅시다. 만일 독자들이 여기에 동의한다면 일단 요한복음을 이해하는 데 있어서 보물지도를 손에 쥐게 된 것이나 마찬가지입니다.

'말씀'은 예수님을 의미한다

그러나 이것만 가지고 요한복음의 주제를 이해했다고 할 수는 없습니다. 요한복음의 서문에 나오는 '말씀'이라는 단어가 요한복음 전체의 사상을 말해 주는 주제를 담고 있는 말이라는 것을 알았다고 하더라도 실제로 이 '말씀' 이라는 말의 의미가 무엇이냐를 아는 데까지 나가야 합니다.

일단 이 '말씀' 이라는 말이 예수님을 일컫는 말이라는 것을 아는 것이 중요합니다. 우리는 "말씀이 육신이 되어"라는 1장 14절을 근거로 '말씀' 은 곧 '성육신 하신 예수 그리스도' 를 의미한다는 것을 쉽게 알 수 있습니다. 그렇다면 1장 1절의 수수께끼 같은 구절의 의미도 '말씀' 이라는 말 대신에 '예수 그리스도' 라는 말로 바꾸어 보면 쉽게 의미가 파악됩니다.

즉, "태초에 말씀이 계시니라. 이 말씀이 하나님과 함께 계셨으니 이 말씀은 곧 하나님이시니라."라는 말은 "태초에 예수그리스도가 계시니라. 이 예수그리스도가 하나님과 함께 계셨으니 이 예수그리스도는 곧 하나님이시니라." 라는 말로 쉽게 이해되어 집니다.

결국, 요한복음 1장 1절은 예수 그리스도가 하나님이시라는 것을 말하려는 의도였다는 것을 알 수 있습니다. "태초에 예수 그리스도가 계시니라."라는 말에서 '태초' 라는 말을 '하늘과 땅이 만들어지기 전' 이라고 더 풀어쓰게 되면 곧 '태초에 예수님이 계시니라.' 는 이 말은 '천지 만물이 창조되기 이전에 예수님이 계시니라.' 라고 풀이될 수 있습니다. 그러면 이 말은 예수님이 창조된 모든 만물보다도 먼저 계신 것을 말하기 때문에 예수님이 곧 하나님이 되신다는 것을 증명합니다.

다시 말하면, 피조물보다 먼저 계셨기 때문에 예수님이 창조주가 되신다는 사실 즉, 예수님의 선재성을 가르침으로써 예수님의 신성을 보여 주려고 하는 것입니다.

또한 '예수님이 하나님과 함께 계시니라.' 는 말에서 '하나님은 성부 하나님' 을 가리킵니다. 그래서 이 말을 풀어쓰면 '예수님이 성부 하나님과 함께 계시니라.' 는 말이 됩니다. 태초에 예수님은 성부 하나님과 함께 계셨습니다.

또한 '예수님은 하나님이시니라.' 는 말에서 '하나님' 은 성부 하나님을 가리키는 말이 아니라 신성을 말합니다. 예수님도 신성을 가지신 하나님이시라는 말입니다. 예수님도 성부 하나님과 동등한 하나님이시라는 말입니다.

그러므로 요한복음 1장 1절은 예수님을 소개하되 창세 전부터 성부 하나님과 함께 계시면서 천지를 창조한 성자 하나님이라는 사실을 말해 주려고 하는 것입니다.

왜 요한은 예수님을 '말씀'이라 말하고 있는가?

그러면 한 단계 더 나아가서 왜 요한은 하필이면 이러한 예수님을 '말씀' 이라고 부르고 있을까요? 이에 대한 이유까지 파악되어야 예수님을 '말씀' 이라고 부르는 핵심사항을 완전히 파악할 수 있습니다.

요한은 당시 헬라철학에서 사용하고 있는 '로고스' (말씀이라고 번역된 헬라어)라는 개념의 그릇에 히브리적인, 구약적인 내용을 채워 넣어서 예수님에 대한 자신의 이해를 전달하고 있습니다.

히브리적인 방식으로 '하나님의 말씀' 은 하나님의 계시를 의미합니다. 후에는 '하나님의 말씀' 이 하나님의 계시를 전달하는 인격자의 개념까지 내포할 정도로 발전됩니다.

따라서, 예수님을 '하나님의 말씀'이라고 부르는 것은 예수님을 하나님의 계시자, 하나님과 사람 사이의 중보자라는 의미입니다.

'말'이라는 것은 A라는 사람과 B라는 사람의 커뮤니케이션의 중요한 수단입니다. A라고 하는 사람의 생각을 B라고 하는 사람에게 전달하기 위해서는 중간에 '말'이라고 하는 매개체가 필요합니다. B라고 하는 사람도 A라고 하는 사람의 사상을 이해하기 위해서 또 그 '말'이라고 하는 매개체가 필요합니다.

요한복음 1장 1절에서 요한이 예수님을 '말씀'(로고스)이라고 부른 의미는 예수님께서 직접 자기 자신을 표현하신 요한복음 14장 6절의 의미와 동일합니다. "나는 곧 길이요, 진리요, 생명이니 나로 말미암지 않고는 아버지께로 갈 자가 없느니라." 또한 예수님께서 요한복음 1장 51절에서 자신을 구약시대 야곱이 보았던 '사다리'라고 말씀하신 것과도 마찬가지입니다.

하나님과 사람사이의 유일한 중보자 예수 그리스도

즉, 예수님을 '말씀'이라고 부르는 것은 예수님을 '길'이라고 부르는 것이나 '사다리'라고 하는 것과 동일한 의미를 전달하기 위해서입니다.

A라는 마을과 B라는 마을이 있는데 그 마을 사이에 길이 없을 때는 교통이 불가능합니다. 그런데 A, B마을 사이에 교통이 이루어지기 위해 길을 만들면 A마을 사람들이 B마을로 가기 위해서, 또 B마을 사람들이 A마을로 가기 위해서는 그 길을 이용해야 합니다. '길'이라고 하

는 것이 양쪽 마을 사이에 중간 역할을 하는 것입니다.

야곱의 사다리도 마찬가지입니다. 하늘과 땅을 연결해 주는 사다리입니다. 사다리를 통해서 하늘에서 땅으로, 땅에서 하늘로 올라갈 수 있습니다.

예수님은 하나님과 인간 사이의 '길' 과 같고, '사다리' 와 같은 중보자입니다. 하나님이 우리 인간을 구원하러 오실 때 예수 그리스도를 통해서 오셨습니다. 또한 우리가 하나님께 나아갈 때도 예수 그리스도를 통하지 않고서는 갈 수 없습니다.

이와 같은 하나님의 계시자로서의 예수 그리스도, 또 구원자로서의 예수 그리스도, 하나님과 사람 사이에 유일한 중보자로서의 예수 그리스도를 말하기 위해서 요한은 특별히 '말씀' 이라는 단어를 사용하고 있는 것입니다.

이렇게 요한복음을 이해하고, 요한복음의 서론을 이해하고, 그 '말씀' 이라고 하는 말의 의미를 이해하기 위해서는 그 '말씀' 이 무엇을 의미하는지를 내가 알고 있는 다른 쉬운 개념으로 바꾸어 쓰거나 예를 들 수 있어야 하는 것입니다.

내용이 이해되었는지를 알아보는 방법

제가 신학교에서 공부를 가르친 적이 있었는데 수업을 들을 때는 학생들이 모두 제대로 이해한 것 같고 잘 아는 것 같았습니다. 그런데 시험을 볼 때 자신의 말로 풀어 설명해 보라고 하면 제대로 하지 못하는 학생이 많았습니다. 그리고 제가 강의한 용어들로만 답안을 만드는 학생들이 있습니다. 제대로 이해가 안 된 것입니다. 학생이 교수가 한 말만을 되풀이하게 되면 교수의 강의가 그 학생에게 이해가 안 된 것입니다.

교수들의 타입도 여러 가지가 있습니다. 특히, 시험 답안지를 쓸 때에 교수가 불러 준 그대로 쓰지 않으면 학점을 깎는 교수가 있습니다. 자기가 불러 준 단어로써 도배를 해야 점수를 주는 그런 교수가 있습니다. 그것은 자기가 가르치는 교육이 무엇인지를 제대로 모르는 교수입니다. 제대로 된 교수 같으면 "내가 한 말로 쓰지 말고, 너희들이 이해한 말로써 풀어써라."라고 말할 것입니다. 그래야 자신이 한 강의를 학생들이 소화해서 이해를 했는가를 알 수 있는 것입니다.

예를 들어 우리가 아이에게 참외를 주었다고 합시다. 만약 이 아이가 참외를 잘 소화했으면 그 증거로 대변이 원래 참외를 줄 때의 모양이 아니라 곱게 소화된 것이 나올 것입니다. 그러면 아이가 몸 속에서 참외에 담긴 영양소를 모두 흡수했다는 것을 알 수 있습니다. 그런데 그 아이가 참외를 먹고 소화를 시키지 못하고 설사를 해서 참외 과육이 그냥 나와 버리면 어찌 되겠습니까? 소화와 흡수를 하지 못한 것입니다.

우리가 아무리 '성경에서 말하는 핵심 주제가 하나님 나라이다.' 라고 말해도 성경이 말하는 '하나님 나라' 라고 하는 의미가 무엇인가를 자기 말로 소화하지 않으면 설사한 사람과 똑같습니다.

아무리 성경의 주제가 '구원' 이라고 말해도 성경이 말하는 '구원' 을 자신의 말로 설명하지 못하면 그 단어를 이해하지 못한 것입니다. 용어를 사용하기는 하는데 그 내용은 이해하지 못한 것입니다.

그래서 주제를 파악하고 나면 현재 내가 이해하고 있는 수준의 언어로써 그것을 내 스스로 번역하고, 내 말로 풀어쓰는 방법을 계속해야 우리의 이해력이 증가하기 시작하는 것입니다.

이해를 위해서는 전이해가 필요하다

그런데 이러한 이해력이 증가되기 위해서는 해당 분야에 대한 사전 지식이 있어야 합니다. 이러한 사전 지식을 우리는 전이해라고 부릅니다.

어떤 내용의 이해는 반드시 전이해의 양에 따라서 달라집니다. 전이해가 많을수록 새로운 지식에 대한 이해가 잘 되는 법입니다.

중학생이 영어를 아무리 잘 한다고 하더라도 즉 영어의 구문을 잘 알아서 영어문장의 주어 · 동사 · 목적어 · 보어를 잘 파악한다 할지라도 타임지의 문장을 이해하지 못합니다. 그 이유는 타임지의 내용자체에 대한 걸림돌 때문입니다. 정치 · 경제 · 사회 · 문화에 대한 전반적인 사전 지식, 즉 전이해가 있어야 그 내용이 이해되기 때문입니다.

의학도와 신학도 두 사람이 모두 기본적으로 영어구문에 대한 실력이 있고 독해 능력이 있다고 가정해 봅시다. 의대생은 영어로 된 의학책은 쉽게 이해가 되는데 신학책은 아무리 영어를 잘 해도 이해가 되지 않습니다. 영어의 구문을 모르는 것이 아니라 신학의 내용에 대한 전이해가 없기 때문입니다. 반대로 신학생은 영어로 된 신학책은 쉽게 이해를 합니다. 그러나 의학책은 제대로 이해할 수가 없습니다. 영어를 못하는 것이 아니라 의학에 대한 사전 지식이 없기 때문입니다.

따라서 어떤 내용을 이해하는 데 있어서 전이해 즉 사전 지식은 대단히 중요합니다. 사전 지식이 얼마나 있는지, 전이해가 얼마나 풍부한지에 따라서 동일한 책을 읽을 때 이해의 깊이와 폭이 달라지게 됩니다.

전이해는 우리의 안경과도 같습니다. 우리가 낀 안경이 검은 색이면 모든 사물이 검게 보입니다. 우리가 쓴 안경이 붉은 색이면 모든 대상이 붉게 보입니다. 우리가 낀 안경이 깨끗하면 사물이 깨끗하게 보이고, 우리의 안경이 더러우면 사물이 더럽게 보입니다. 우리는 태어날 때부터 모두 자기 나름대로의 안경을 가지고 사물을 받아들입니다. 이러한 안경이 없는 사람은 없습니다.

또한, 전이해를 망원경이나 현미경에 비유해도 좋습니다. 우리가 가지고 있는 망원경이나 현미경의 배율에 따라서 우리는 사물을 전혀 다르게 보게 됩니다. 현미경의 배율이 100배 · 1,000배 · 10,000배 · 100,000배 등으로 높아질수록 물체는 전혀 다르게 보입니다. 그리고 더 작은 물체까지 볼 수 있게 됩니다. 동일한 거리에 있는 별이라도 우리가 가진 망원경의 성능이 어느 정도인가에 따라서 우리의 눈에 비치는 모습은 전혀 달라지게 됩니다. 망원경이 광학망원경에서, 전자망원경, 전파망원경으로 발전됨에 따라서 천문학도 발전해 온 것은 우연이 아닙니다. 현미경도 마찬가지입니다. 현미경이 광학현미경에서, 전자현미경, 주사현미경으로 발전해 오면서 생물학이 크게 발전되었습니다.

루터와 나의 로마서 이해의 차이는 전이해의 크기 차이

이런 이유로 루터가 로마서를 읽을 때와 내가 로마서를 읽을 때, 동일한 로마서이지만 이해의 깊이가 달라지는 것은 사전에 알고 있는 성경 전체와 신학 전체에 대한 루터와 나의 전이해의 양에 차이가 있기 때문입니다.

따라서, 우리가 읽고 있는 책의 구조와 주제를 정확히 알고 있다 할지라도 그 내용을 명백하게 이해하기 위해서는, 그리고 나의 말로 풀어쓰기 위해서는 관련 분야 혹은 해당 분야의 사전 지식이 풍부해야 합니다.

동일한 책을 읽고도 그 책의 내용을 잘 파악하는 것은 그 사람이 평상시 많은 분야의 독서를 통해서 많은 사전 지식을 축적했기 때문입니다.

책을 읽을 때의 이런 사전 지식 혹은 전이해는 한 권의 책을 분석적으로 읽기 전까지의 자기가 그 동안 읽었던 모든 책의 내용, 혹은 모든 경험의 총합입니다.

그러므로 전이해가 하루아침에 갑자기 생겨나지는 않습니다. 독서량이 증가함에 따라서, 인생 경험이 풍부해짐에 따라서 어떤 책을 읽든지 그 책을 읽을 때의 전이해는 더욱 풍성해지고, 자신이 파악한 주제를 자기의 말로 풀어서 이해하기가 더욱 쉬워지는 법입니다.

눈높이 이해와 눈높이 교육

우리가 신학 공부를 많이 해서 사전 지식이 많으면 우리가 어떤 신학 책을 읽든지 그 책의 주제를 쉽게 내 말로 풀어 쓸 수가 있습니다. 그러나 전혀 신학적인 지식이 전무한 자에게는 그 책의 주제까지 모두 말해주어도 이해하지 못합니다.

내가 다른 사람의 글을 이해하는 차원을 바꾸어 내가 다른 사람에게 이해를 시키는 교육의 문제도 동일합니다. 교육적인 차원에서 우리는 학생들의 이해를 돕기 위해서 학생들이 이해할 수 있는 학생들의 눈높이 수준까지 내려가야만 합니다.

가령, 로마서의 '이신칭의'를 가르칠 때에 이러한 신학적인 용어에 익숙하지 않은 성도들이나 불신자들에게 이 말을 설명하기 위해서는 단순히 이 용어만 말해 주어서는 안 됩니다. 이 용어의 의미를 번역해서 말해 주어야 합니다.

갓난아이들에게 음식을 줄 때는 어른이 먹는 밥을 주어서는 안 됩니다. 어머니가 먼저 밥을 먹고 그 밥을 소화시켜서 젖의 형태로 갓난아이에게 주어야 합니다. 어린이가 자람에 따라서 점차 그 아이에게 맞는 수준의 음식을 주어야 합니다.

교육에 있어서도 동일합니다. 좋은 학생이 되려면 선생이 하는 말을 자기가 이해할 수 있는 말로 번역을 잘 해야 합니다. 즉 자기 스스로 눈높이 이해를 잘 해야 합니다. 반대로 좋은 선생이 되려면 자신이 가르치고자 하는 내용을 학생들이 이해할 수 있는 수준으로 맞추어 전달해 주어야 합니다. 즉, 학생들의 이해 수준에 맞추어 주는 눈높이 교육을 잘 해야 합니다.

이해란, 모름지기 외국어를 모국어로 번역하는 문제에만 국한되는 것이 아니라 다른 사람의 사상이나 생각을 자기의 생각이나 사상으로 번역할 때도 꼭 필요한 것입니다.

3) 분석독서의 3단계:이해한 내용에 대해 찬성과 반대를 표시하라

분석독서의 마지막 단계는 자기가 이해한 내용에 대해서 반응을 보이는 것입니다.

책의 내용을 이해한 것으로 그 책의 내용이 완전히 자신의 것이 되지는 않습니다. 지적으로 이해한 책의 내용을 완전히 나의 것으로 소화하기 위해서는 책의 내용에 대한 나의 감정적, 의지적 반응까지도 필요합니다.

즉, 책의 내용에 대해서 찬성하게 되면, 그 책의 내용을 자기 사상의 일부로 흡수하여 자기의 사상을 넓히는 효과를 가져오게 됩니다. 또한 자기의 감정의 지평이 넓혀지거나 자기의 행동이나 삶의 영역이 변하게 됩니다.

또한, 책의 내용을 반대함으로써 기존의 자기 사상을 더욱 돈독히 할 수 있고, 자기와 다른 사상과의 차이점을 더 분명히 볼 수 있습니다.

물론, 분명하게 동의와 반대의 의사표시를 할 수 없으면 아직 보류 상태로 두는 것이 좋습니다.

독서를 하면서 이와 같이 찬성과 반대를 하는 것은 책읽기가 단순히 지적인 놀음이 되는 것을 방지해 줍니다. 책을 읽는 것은 그 자체로도 자신의 인격의 일부이며, 윤리적이고 도덕적인 행동의 일부가 될 수 있습니다. 자신이 읽은 책에 대한 반응은 곧 자신의 전인격에 영향을 미치는 것입니다.

어떤 책이 윤리적으로 좋은 책인지 나쁜 책인지에 대한 기준은 독자의 관점에 따라 다를 수 있습니다. 그러나 객관적 · 윤리적인 면에서 독자의 인격 형성에 좋은 책과 나쁜 책이 있다고 가정해 볼 수는 있습니다. 결국은 그 책의 내용을 수용하느냐 거부하느냐는 독자의 몫이며 책임입니다.

극단적으로 좋은 책과 나쁜 책에 대한 독자의 반응은 4가지로 나타나게 될 것입니다.

첫째, 좋은 책을 읽고 그 내용에 찬성하여 그 내용을 자신의 삶의 일부로 만드는 사람은 점점 좋은 행동을 하게 될 것입니다.

둘째, 좋은 책을 읽고 그 내용을 반대하는 사람은 점차 나쁜 행동을 하게 될 것입니다.

셋째, 나쁜 책을 읽었지만 그 내용에 반대하는 사람은 점차 좋은 행동을 하게 될 것입니다.

넷째, 나쁜 책을 읽고 그 내용을 찬성한 사람은 나쁜 행동을 하게 될 것입니다.

결국, 어떤 종류의 책이든지 간에 그 책의 내용을 받아들이거나 배척하는 것은 독자의 책임이라는 말입니다.

물론, 어떤 책의 내용을 무조건 100% 받아들이거나 반대로 무조건 100% 배척하는 것은 책을 읽는 좋은 자세가 아닙니다.

단, 하나의 예외가 있다면 성경입니다. 예수 믿는 성도들에게 있어서 성경은 신앙과 행동의 유일무이한 인생 법칙이 되는 하나님의 말씀이기 때문에 100% 찬성하는 것이 지혜로운 인생을 살아가는 비결입니다. 반대로 성경의 내용을 반대하는 만큼 어리석은 삶을 사는 지름길입니다. 성경의 내용을 읽고 이해한 것을 자신의 삶에 얼마나 적용하며 실천하느냐에 따라 신자의 신앙 성숙 정도가 달라지게 됩니다.

그러나 성경을 제외한 다른 모든 책은 언제나 찬성과 반대의 어느 한쪽 표를 던질 수 있는 비평적인 입장에서 보는 것이 필요합니다. 어떤 책이든지 그 안에 들어있는 수많은 내용 중에는 우리가 찬성할 만한 내용도 있고, 반대할 만한 내용도 있기 마련입니다. 책이 말하고자 하는 주된 주제에 대해서는 분명하게 자신의 찬성과 반대의 입장을 정리하는 것이 그 책을 자신의 것으로 소화하는 데 결정적으로 중요합니다.

모티머 애들러의 독서법을 통해 배운 점

제가 모티머 애들러의 「독서법」을 읽고 가장 큰 도움을 받은 것은 '한 권의 책을 읽고 완전히 나의 것으로 만들었다.' 라고 말하려면 '어떤 상태까지 가야 하는가' 에 대한 것입니다. 다시 말하면 '한 권의 책을 완전히 마스터했다.' 혹은 '한 권의 책을 철저히 소화시켰다.' 라고 하려면 책을 어떻게 읽어야 하는지에 대한 체계적이고 이론적인 정리였습니다.

모티머 애들러의 책을 읽기 전에도 사실 어느 정도는 그렇게 하고 있었지만 명확하게 이론적인 정리가 잘 되어 있지 않았습니다. 그런데 모티머 애들러를 통해 특히 분석독서법에 대한 이론을 통해 '책을 철저히 읽었다고 말하려면 적어도 이런 과정과 단계는 거쳐야 한다.' 고 하는 명백한 개념 정리를 하게 되었습니다.

우리가 앞으로 책을 읽을 때에 모티머 애들러가 말하는 분석독서의 세 가지 단계를 잊지 않았으면 좋겠습니다. 처음에는 의식적으로 노력을 해야 합니다. 자꾸만 의도적으로 그렇게 읽어야 합니다. 그러나 자꾸 그렇게 하다보면 특별히 단계를 의식하지 않아도 자연스럽게 그렇게 하게 되는 때가 오게 됩니다.

예를 들어, 우리가 무용을 배우거나 무술을 배울 때 처음에는 단계적으로 합니다. 그런데 점차적으로 시간이 지나면 동작을 한꺼번에 자연스럽게 연결해서 하게 됩니다. 자기도 모르는 사이에 몇 단계가 한꺼번에 이루어지게 됩니다.

따라서, 처음 초보자 때는책을 의식적으로 끊어서 읽어야 합니다. 책을 읽을 때에 '이 책의 주제는 무엇인가?, 구조는 무엇인가?' 를 계속 질문해 가면서 읽어야 합니다. 그 다음에는 계속 나의 말로써 풀어보려고도 노력해야 합니다. 그 다음에 또 의식적으로 계속 찬성도 해 보고, 반대도 해 보아야 합니다. 또 아직도 그 두 단계가 분명치 않을 때는 '나는 아직까지는 보류해 두겠다.' 고 해야 합니다. 처음에 이렇게 의식적으로 하다보면 그리고 계속적으로 반복하다보면 나중에 무의식적으로 이런 단계들이 자연스럽게 한꺼번에 적용됩니다. 책을 읽을 때, 읽어나가는 동시에 구조파악과 주제분석이 되면서 이러한 내용들이 나의 말로 풀어지고 쉽게 찬성, 반대 중 어느 한 편으로 마음이 움직이게 됩니다. 물론, 아주 어려운 책들은 그렇게 쉽지가 않지만 대부분의 책들은 자연스럽게 한꺼번에 통합적으로 분석적 읽기가 가능해지게 됩니다.

모티머 애들러의 독서법을 강의하게 된 배경

그런데 이것이 쉬운 것 같지만 실제로 많은 독자들은 단순히 개관 읽기 수준으로 머무르는 수가 있습니다. 분석독서를 통해 한 권의 책을 정확히 읽지 않기 때문에 책을 많이 보았어도 그 내용에 대한 이해는 거의 전무하거나 제대로 되어 있지 않은 경우가 태반입니다. 그렇게 되면 책읽기 수준이 발전되지 않습니다.

사실, 제가 모티머 애들러의 독서법을 설명하는 것도 마찬가지입니다. 제가 이 책을 분석독서법으로 읽고 이 책의 내용을 완전히 소화했기 때문에 제 말로 풀어서 독자들에게 설명이 가능한 것입니다.

제가 이 책을 분석독서법으로 잘 읽었기 때문에 이 책의 주제와 구조를 파악할 수 있었습니다. 또한 제가 이 책을 분석독서로 읽었기 때문에 이 책의 핵심 내용을 제 말로 풀었고, 예까지 적절히 들어서 쓸 수가 있는 것입니다. 또한, 이 책의 내용 중 많은 부분에 동의와 찬성을 하기 때문에 이 책의 내용을 좀더 쉽게 알리는 강의를 하게 된 것입니다.

아마, 수많은 사람들이 모티머 애들러의 독서법이 좋다는 이야기를 듣고, 읽어본 적이 있을 것입니다. 그 중의 상당수 독자들은 그냥 한 번 읽고는 '참 대단하구나, 참 좋구나!' 정도의 감동만 받고 이 책의 내용을 철저히 분석독서법으로 읽지 않았기 때문에 시간이 지남에 따라서 책의 내용까지 잊어버리고 전혀 자기의 독서 생활에 변화를 보지 못했을 것입니다.

앞으로 독자 여러분들이 어떤 한 권의 책을 읽었을 때에, 그 책의 내용을 자신의 삶 속에 적용하거나, 다른 사람에게 소개를 해 주기 위해서는 한 권의 책을 이런 방식으로 철저히 읽어야 합니다.

책을 분석독서로 철저히 읽지 않으면 아무리 많은 책을 읽는다 할지라도 자신의 지식세계가 넓혀지지 않습니다.

이율곡 · 정약용 · 주자 같은 분들이 당대 최고의 학자가 될 수 있었던 것은 모두 이러한 분석독서법으로 책을 철저하게 독파했기 때문입니다.

분석독서와 귀납법적 성경공부

모티머 애들러가 말하는 이러한 분석독서 방식은 소위 '귀납법적 성경연구 방법'과 똑같은 것입니다. 귀납법적 성경공부의 다른 이름이 분석적 성경공부입니다. 귀납법적 성경 공부 방법에는 기본적으로 관찰 · 해석 · 적용의 3단계가 있습니다. 그런데 이 3단계가 모티머 애들러가 말하는 3단계와 똑같습니다. 귀납법적 성경공부의 관찰은 주제 및 구조분석에 해당되고, 해석은 이해 및 설명에 해당되고, 적용은 비평에 해당됩니다.

귀납법적 성경 읽기에서 말하는 관찰을 잘 하기 위해서는 누가 · 언제 · 어디서 · 무엇을 · 어떻게 · 왜 했는가의 '육하원칙'에 따라서 질문을 해야 합니다. 또한 관찰을 위해서는 문맥 파악과 문법적 구문 분석이 필수적입니다. 또한 여러 가지 논증의 방식과 수사법에 대한 지식도 필요합니다.

그러나 결국 이러한 관찰 노력을 통해서 우리가 궁극적으로 얻고자 하는 것은 본문의 구조와 그 주제라 할 수 있습니다. 이러한 구조분석과 주제파악이 되어야 정확한 해석의 단계로 들어갈 수 있습니다.

귀납법적 성경 읽기의 '해석'의 단계에도 여러 가지 원리가 있지만 가장 중요한 것은 본문의 내용을 이해하는 것입니다.

이러한 이해를 위해서 본문의 역사적인 배경 · 문학적인 배경 · 신학적인 배경을 잘 알아야 합니다. 한 본문을 이해하기 위해서는 결국 본문이 가지고 있는 언어적 · 역사적 · 사상적 측면을 필수적으로 알아야만 합니다. 문학적 · 역사적 · 신학적 지식을 가지고 본문을 해석한다는 것은 결국 이 모든 배경 지식을 바탕으로 내가 알고자 하는 본문을 이해한다는 것입니다. 본문해석에 필요한 이러한 역사적 · 언어적 · 신학적 지식이 나의 사전 지식이 될 때에만, 이러한 사전 지식을 바탕으로 내가 알고자 하는 본문의 내용을 해석할 수 있는 이해력이 생기는 것입니다.

그러므로 '해석'이라는 것은 내가 이미 알고 있는 사전 지식이 없이는 불가능합니다. 결국 해석이라는 것은 내가 알고 있는 내용으로 풀어쓰는 것과 동일한 것이며, 내가 확실히 파악한 내용은 내가 쉽게 예를 들어서 다른 사람에게 설명할 수 있는 것과 동일한 것입니다.

귀납법적 성경 공부의 마지막 단계는 적용입니다. 성경공부의 마지막 목적은 실천입니다. 성경을 관찰해서 해석하는 것은 곧 오늘 나의 삶에 적용하기 위한 것입니다. 이러한 성경 적용을 애들러 식의 분석독서법으로 말하자면 이해한 내용에 대한 찬 · 반 분명히 하기입니다. 이해한 내용에 대한 찬성과 반대도 하나의 적용인 동시에 행동과 실천입니다.

앞으로 분석독서라는 것이 무슨 말인지 이해가 안 될 때는 관찰 · 해석 · 적용이라고 바꾸어 생각하십시오. 주제와 구조를 완전히 파악하고, 내 말로 풀어쓰고, 그리고 찬성과 반대와 보류의 자기 의사 표시를 분명히 하는 것이라고 생각하십시오.

결국, 성경을 귀납적으로 읽자는 이야기는 성경을 분석적으로 읽자는 것입니다. 성경을 읽을 때 대충 대충, 건성 건성으로 읽지 말자는 것입니다. 성경을 주제별로 혹은 연역적으로 읽기 이전에 먼저 철저히 분석적으로 귀납적으로 읽자는 이야기입니다. 그래야 성경을 제대로 이해할 수가 있는 것입니다.

분석독서 없이 제대로 된 지식을 가지기 힘들다

지금까지 독자 여러분들은 수많은 책을 읽으셨을 것입니다. 책을 읽지 않은 사람이 어디 있겠습니까? 특히 목회자들이나 신학생들은 신학과 경건 서적들을 많이 읽습니다. 신학교에 다닐 때 많은 책을 소개받습니다. 또한, 여러 대중매체를 통해서 책을 소개받고 읽어봅니다. 그런데 아무리 많이 읽었더라도 분석독서 방식으로 책을 읽지 않으면 자기가 읽은 책이 자기의 것이 되지 않습니다. 어느 한 분야에서도 확실하게 아는 지식이 생기지 않습니다.

예를 들어 한국의 모든 목회자와 신학생들을 대상으로 '이신칭의' 가 무엇입니까?, '원죄' 가 무엇입니까? 등의 성경의 가장 기본적인 진리를 물어보면 제대로 답을 하실 분이 얼마나 될지 모르겠습니다.

제가 신학교에서 가르친 경험에 의하면 신학생들 중에서 우리 개신교의 가장 기본적인 구원에 관한 진리인 '이신칭의' 의 내용을 정확히 알고 있는 사람들이 아주 드물었습니다. 아주 두루뭉실하게 알고 있는 경우가 대부분이었습니다.

이것은 일반 성도들도 마찬가지입니다. 세례 문답할 때에 성경의 기본적인 진리들을 질문해 보면 제대로 알고 있는 사람들이 정말 드물다는 것을 발견하게 됩니다. 만일, 이 글을 읽고 계신 분이 목회자나 신학생이라면 자기가 목회하고 있는 성도들에게 우리 구원에 관한 가장 기본적인 진리인 '소명이 무엇입니까?', '중생이 무엇입니까?', '칭의가 무엇입니까?', '성화가 무엇입니까?' 등을 물어보십시오. 대부분 우물우물하고 말 것입니다. 언젠가 배우긴 배웠어도 확실하게 배우지 않았기 때문에 정확한 내용을 알지 못하는 것입니다.

우리의 생각이 분명하지 않으면 우리의 지적인 성장이 이루어질 수 없고, 지적인 성장이 없는 곳에 영적인 성장도 없습니다. 따라서 책을 읽을 때 분석독서의 방식으로 책을 철저히 읽어야 합니다.

3. 고급단계의 종합독서법

독서법의 마지막 고급단계는 종합독서법입니다. 종합독서법은 한 권의 책을 철저하게 독파하는 분석독서법과는 달리 여러 권의 책을 주제별로 종합해서 읽는 방법입니다. 따라서, 여러 권의 책을 주제에 따라서 읽는 '주제별 독서법'이라 할 수 있습니다. 또한 여러 권의 책을 비교해서 읽는 '비교독서법'이기도 합니다.

1) 주제별로 읽어라

종합독서법은 많은 책을 읽는 방법입니다. 그러나 그냥 아무렇게나 많은 책을 읽는 것이 아닙니다. 많은 책을 읽되 하나의 주제를 정해 놓고 읽는 것입니다. 즉, 주제별로 많은 책을 읽는 것입니다.

이러한 주제별 종합독서법은 하나의 주제에 대한 한 편의 논문이나 한 권을 책을 쓰기 위해서 독서를 하는 방법입니다. 또는 하나의 주제에 대해 강의나 설교를 하기 위한 준비로서 읽는 독서방법입니다.

많은 책을 주제별로 읽을 때 우리는 비로소 하나의 주제나 사상에 대한 자기 나름대로의 체계적인 지식을 수립할 수 있습니다.

2) 한 주제를 비교하면서 읽어라

종합독서법은 단순히 많은 책을 주제별로만 읽는 것이 아닙니다. 주제별로 읽되 같은 주제를 가지고 여러 권의 책을 비교하면서 읽는 것이어야 합니다.

그런데 여러 권의 책을 비교해서 읽다보면 반드시 다음과 같은 문제가 발생합니다. 첫 번째는 같은 용어나 단어를 저자마다 다른 의미를 담아서 사용하는 경우가 많이 있습니다. 두 번째는 저자들이 사용하는 용어는 분명히 다른데 그 의미는 같이 사용하는 수가 있습니다.

이것은 기본적으로 언어의 가장 기본법칙 때문에 발생하는 것입니다. 즉, 의미의 최소단위를 구성하고 있는 단어의 경우에 있어서 단어의 의미를 결정짓는 가장 기본적인 원칙은 '단어의 의미는 문맥에 의해서 결정된다는 것' 입니다. 하나의 동일 단어가 문맥에 따라서 여러 가지의 의미를 가지고 있으며, 또한 여러 가지 단어가 문맥에 따라 같은 의미를 가지고 있습니다.

문맥에 따라 한 단어가 여러 가지의 의미를 가진다

항상 단어의 의미는 문맥 속에서 결정됩니다. 즉, 저자가 사용하는 용어의 의미는 항상 저자가 사용하는 문맥 속에서 찾아야 합니다.

예를 들어봅시다. '배' 라는 단어의 의미는 무엇입니까? 사실 이것은 아무런 의미가 없는 것입니다. 단순히 'ㅂ' 이라고 하는 자음과 'ㅐ' 라고 하는 모음이 결합된 글자일 뿐입니다. 이것이 의미를 가지려고 하면 문장 속에서 다른 단어들과의 관계속에 들어가야 합니다.

1. 이 '배' 는 크고 달고 맛이 있다. 이 문장 속에서의 '배' 는 과일의 일종으로서의 배를 말합니다.

2. 이 '배' 는 작지만 속력이 빠르다. 이 문장 속에서의 '배' 는 물위에서 사람을 운송하는 교통수단의 일종으로서의 배를 말합니다.

3. 내 '배' 가 너무 부르다. 이 문장 속에서의 '배' 는 인체를 구성하고 있는 한 신체 기관을 말합니다. 이와 같이 단어의 의미는 문맥 속에서 결정되는 것입니다. 사전이란 바로 이러한 단어의 문맥에 따라 변화되는 모든 경우를 빈도수대로 모아놓은 것입니다.

우리가 처음 영어를 공부할 때, 해석을 잘 하지 못하는 이유는 영어의 중요한 기본단어일수록 문맥에 따라 변화될 수 있는 의미의 수가 많다는 것을 모르기 때문입니다. 대부분 사전에 처음에 나오는 기본 의미만을 외우고 있으면 다른 의미를 가지는 문맥인 경우에는 전혀 해석을 할 수 없게 됩니다.

일례로 영어에서 아주 많이 사용되는 동사 'get' 의 경우만 하더라도 이것을 '얻다' 라는 의미라고 생각하면 안 되는 것입니다. 'get' 이라는 단어는 그냥 g+e+t라는 영어 스펠링의 조합일 뿐입니다. 이 'get' 이 문장 속에 들어갈 때 비로소 어떤 의미를 가지는 것입니다. 보통 영어 사전만 찾아보아도 'get' 이라는 단어는 20여 가지의 다른 의미로 해석될 수 있습니다. 그런데 이 단어가 주로 많이 사용되는 의미인 '얻다' 라고만 알아서는 '병에 걸리다', '이해하다' 등의 다른 의미를 가지는 문맥 속에 사용될 때는 전혀 이해하지 못하는 것입니다.

이것이 바로 종합독서법을 하면서 하나의 주제를 가지고 여러 권의 책을 읽을 때 발생하는 문제입니다. 흔히 '부흥' 이라는 주제 혹은 단어가 교회 안에서 사용됩니다. 부흥에 대한 공부를 하고 싶어서 부흥과 관련된 여러 권의 책을 읽을 때 이런 원리를 모르면 큰 혼란에 빠지게 됩니다. 여러 저자가 '부흥'이라는 동일한 단어를 사용하고 있지만 어떤 저자는 '부흥'이라는 말을 '교회의 외적성장'(사람들의 머리 수가 증가하는 것)이라는 말과 동의어로 사용합니다. 또한 어떤 사람은 '부흥'이라는 말을 '교회의 영적 각성 즉, 성령의 부으심으로 인한 성도들의 영적 변화'라는 의미로 사용합니다. 또한 어떤 저자는 '부흥'이라는 말을 '사람의 노력으로 인한 교회의 현상적 변화'라는 의미로 사용하기도 합니다. 따라서 단순히 부흥이라는 단어가 어떤 저자에 의해서 사용되든지 항상 동일한 의미를 가진다고 생각하면 부흥에 대한 여러 권의 책을 읽을 때 오히려 혼란만 가져오게 됩니다.

문맥에 따라 여러 개의 단어가 동일한 의미를 가진다

또한, 반대로 여러 저자들이 부흥 · 영적 각성 · 영적 소생 · 은혜 체험 등의 여러 가지 다른 용어를 사용하고 있지만 결국은 성령의 부으심으로 인한 성도의 영적 생명력의 충만을 의미하고 있다는 것을 알아야 부흥이라는 주제를 바르게 연구할 수 있습니다. 그래서 앞으로 여러분이 여러 권의 책을 읽을 때에는 그 단어에 사로잡히지 말고, 저자가 어떤 내용으로 그 단어를 쓰고 있는가를 이해해야 합니다.

3) 종합독서법은 독서법의 최고봉

종합독서법은 지금까지 독서법의 기본기인 '개관독서'나 독서법의 중급단계인 '분석독서'를 잘 해야만 제대로 할 수 있습니다. 종합독서법은 '개관독서'와 '분석독서'를 포함하며, 완성합니다.

예를 들어서 우리가 '교회란 무엇인가?'에 대해서 분명하게 알고 싶거나 혹은 글을 쓰거나 강의를 하려고 할 때 우리는 먼저 교회에 대한 참고문헌을 찾아야 합니다. 도서관이나 서점의 컴퓨터로 '교회'라는 주제의 검색어를 치게 되면 교회에 대한 문헌이 수십에서 수천 가지 나오게 됩니다. 이러한 교회 관련 책들을 모두 읽을 수는 없습니다.

그래서 우리는 제일 먼저 이러한 교회 관련 도서 중에서 정말 내게 필요한 내용을 찾아내기 위한 '개관독서법'이 필요합니다. 개관독서법을 통해서 내가 알고 싶은 내용, 내가 글을 쓰거나 강의를 하는 데 필요한 내용이 담긴 책들을 선별할 수 있습니다. 적게는 몇 권에서 많게는 몇백 권의 책들을 선별할 수 있을 것입니다.

이렇게 선별된 책에 대해서는 분석독서법을 통해 책을 읽기 시작합니다. 물론 중요한 책의 경우에는 한 권의 책 전체를 분석독서법으로 읽어야 하기도 하고, 때로는 필요한 장에 대해서 분석독서법으로 읽어야 할 경우도 있을 것입니다.

마지막으로, 종합독서법에 의해서 독서를 완성하고 마무리하게 됩니다. 분석독서법으로 읽은 여러 권의 책들을 상호 비교하여 그 중에서 공통점과 차이점을 발견해 냅니다. 그래서 공통점들을 하나로 모으고, 차이점들을 발견하게 되면 그 속에서 자기 나름대로 '교회가 무엇인가'

에 대한 이해를 가지게 됩니다.

모티머 애들러 독서법은 독서법의 기본이다

지금까지 제가 모티머 애들러 독서법을 기초로 제시한 3단계 독서법은 독서의 가장 기본적인 원리요 방법이기 때문에 사실 모티머 애들러의 책을 읽지 않은 사람도 실제로 독서를 할 때 자연스럽게 이런 방식으로 하고 계신 분들이 많이 있을 것입니다.

어릴 때부터 독서를 많이 한 사람들은 자연스럽게 이러한 방법을 터득하게 됩니다. 특별하게 독서법에 대해서 읽지 않았다 할지라도 수많은 학자들과 학생들 그리고 훌륭한 독서가들은 자신들이 공부를 하며, 책을 읽는 과정에서 책을 이렇게 읽을 수밖에 없습니다.

이것은 동서고금을 막론하고 동일합니다. 동서고금의 독서법을 다루고 있는 수많은 책들이 모두 용어는 다르지만 그 기본적인 생각은 모두 모티머 애들러가 말하는 독서법의 3단계 내용에 모두 포함되어 있습니다.

그렇기 때문에 모티머 애들러의 책을 읽고, 또한 제 강의를 들을 때 '이미 나도 그렇게 하고 있다.' 라고 말할 수 있는 사람이 많습니다. '이런 기초적인 내용을 굳이 책으로 쓰거나 강의할 필요가 어디 있나?' 라고 말하실 분들도 있을 것입니다.

저 역시 모티머 애들러의 책을 읽었을 때 '아, 내가 무의식중에 사용하고 있는 독서의 방식을 이렇게 체계적이고 분석적으로 제시한 사람도 있구나!' 하고 감탄했습니다. 마치 어떤 감정을 느끼고는 있는데 표현할 말을 찾지 못하고 있던 중, 한 시인의 시를 읽고 그 시인이 시를 통해 나의 감정을 나보다 더 잘 표현하고 있구나 하는 것과 동일한 느낌입니다.

그래서 무의식중에 모티머 애들러가 제시하는 이런 독서법을 실천해 온 분이라고 할지라도 저의 이러한 독서법 3단계 강의를 통해서 조금 더 분명하고 명쾌하게 독서법에 대한 전반적인 그림을 그릴 수 있게 되었을 것입니다.

그러나 모든 사람들이 책을 읽으면서 모티머 애들러가 제시하는 독서의 방식을 자연스럽게 터득하는 것은 아닙니다. 또한 독서의 방식을 잘 알지 못해서 책의 내용을 제대로 소화해내지 못하는 사람들도 의외로 많이 있습니다. 이런 분들에게는 저의 이번 강의를 통해서 책읽기의 혁명이 일어날지도 모릅니다. 제가 한 강의의 요점을 잘 이해하고 기억해서 책을 읽을 때마다 실천해 보면 책읽기의 큰 진전을 경험하게 될 것입니다.

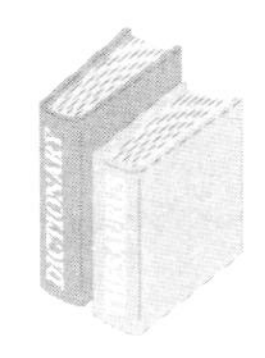

제2장

평생 인격 성숙을 위한 어떻게 할 것인가?

1. 한 권의 책을 마스터하라
   1) 한 권의 책을 분석하며 읽어라
   2) 한 권의 책을 반복해서 읽어라
   3) 한 권의 책을 암송하라
   4) 어떤 책을 철저히 읽을 것인가?

2. 한 사람의 스승을 마스터하라
   1) 한 사람의 영적 스승 밑에서 배워야 한다
   2) 한 사람의 영적 스승을 통해 영적 거인이 된 사람들
   3) 어떤 사람들을 나의 영적 스승으로 삼을 것인가?

3. 독서의 균형을 맞추어라
   1) 경건독서와 신학독서의 균형
   2) 고전 읽기와 신간 읽기의 균형
   3) 신앙서적 독서와 일반서적 독서의 균형

인격 성숙 혹은 신앙 성숙을 위한 독서란 무엇인가?

책을 읽는 중요한 목적 가운데 하나는 인격 성장 혹은 영적 성숙을 위한 것입니다.

인격 성숙을 위한 독서란 독서를 통해 단편적인 지식과 정보만을 얻는 데 그치지 않고 인생의 바른 지혜를 얻고자 하는 것입니다.

인생의 참 지혜란 무엇입니까? 세상과 자기를 바라보는 안목과 통찰력을 통해 세상과 인생의 목적을 바르게 아는 것입니다. 인생의 바른 지혜란 바른 가치관 · 바른 인간관 · 바른 세계관을 가지는 것입니다. 즉, '세상이란 무엇인가?, 인간이란 무엇이며 인생의 목적은 무엇인가?, 나는 어디서 와서, 왜 살며, 어디로 가는가?, 내가 어떻게 살아가야만 바르게 살아가는 것인가?' 등의 물음에 대한 답이 바로 가치관이며, 인생관이며 세계관입니다.

이러한 인간의 가장 중요하고도 기본적인 종교적 · 철학적 · 윤리적 물음에 대한 답을 얻기 위한 독서가 바로 인격 성숙을 위한 독서입니다.

또한, 지혜란 삶의 목적을 아는 것에 머물지 않고, 삶의 목적에 맞는 수단과 방법을 바르게 선택하는 능력이기도 합니다. 그러므로 당연히 이러한 지혜는 삶의 실천으로 연결됩니다. 지혜는 바른 행동 · 바른 윤리의 열매로 나타납니다. 이런 면에서 인격 성숙을 위한 독서란 윤리와 도덕적 삶을 고양시키기 위한 독서입니다.

유학자들은 이러한 독서를 인격 도야, 인격 수양을 위한 독서라고 불렀습니다. 혹은 성인이나 군자가 되기 위한 독서라 했습니다. 불교 신자들이라면 마음을 닦기 위한 독서라 말하기도 할 것입니다. 기독교인들에게 이것은 신앙 성숙 혹은 영적 성숙을 위한 독서라 부를 수 있습니다. 아무런 종교를 가지지 않는 일반인들에게는 개인의 내면적인 성숙을 위한 독서라 부를 수도 있습니다.

물론, 반드시 독서를 통해서만 이러한 인격 수양이나 신앙 성숙이 이루어진다는 것은 아닙니다. 지혜를 얻기 위한 수단에는 사색이나 명상 또는 예술 등의 여러 가지 다른 수단들이 있습니다. 그러나 책읽기는 인격 수양의 가장 중요한 방법 가운데 하나입니다. 그렇다면 어떻게 책읽기를 통해서 이러한 인격 성장과 영적 성숙을 도모할 수 있을까요?

이제 인격적 성숙 또는 신앙 성숙을 위한 독서의 방법에 대해 구체적으로 말씀드리겠습니다.

1. 한 권의 책을 마스터하라

1) 한 권의 책을 분석하며 읽어라

첫째로 인격 성숙을 위한 독서에서 제일 중요한 점은 한 권의 책을 완전히 소화되도록 읽어야 한다는 점입니다. 한 권의 책을 완전히 소화되도록 읽는다는 것은 한 권의 책을 철저히 분석하며 읽는다는 것을 말합니다.

이렇게 한 권의 책을 완전히 소화해서 나의 것으로 삼는 독서는 이미 제1장의 분석독서법에서 설명한 것처럼 첫째, 책의 주제와 구조를 완전히 파악하는 것입니다. 둘째, 파악한 주제를 나의 말로 이해하는 것입니다. 셋째, 이해한 내용에 대해 찬성과 반대 의견을 분명히 표시하는 것입니다.

이렇게 한 권 한 권 소화시킨 책들이 평생에 열 권만 있어도 우리 인격 성숙에 큰 도움이 될 것입니다. 이와 같은 방식으로 평생 독서를 한다면 평생 영적 성숙이 이루어지게 될 것입니다. 이런 독서방법은 신자들에게는 신앙 성숙으로, 불신자들에게도 인격적인 성숙으로 나아가는 가장 중요한 통로입니다.

율곡 이이의 독서론

조선 왕조 500년의 역사 가운데 가장 뛰어난 천재 중의 한 분은 율곡 이이(1536~1584)입니다. 율곡은 무려 과거에 9번이나 장원으로 급제했던 조선의 천재 중의 천재였습니다. 평균 2000대 1의 과거시험, 남들은 평생 1번 과거시험에 붙는 것도 소원이었던 시절, 9번씩이나 수석으로 합격했다니 과연 천재 중의 천재입니다. 그래서 율곡은 9도 장원공이라는 별명으로 불리기도 했습니다.

과거시험에만 이러한 우수한 성적을 냈던 것이 아니라 율곡은 퇴계 이황과 더불어 조선 성리학의 양대 산맥을 이룬 사람이었습니다. 그리고 수많은 저서들을 기록했던 조선의 대학자였습니다. 인격적으로도 아주 훌륭한 사람이었습니다.

따라서, 율곡의 독서방법론은 조선조 선비들 중의 최고의 독서론이라 해도 과언이 아닙니다. 율곡은 42세 때인 1577년, 교육지침서라 할 수 있는 「격몽요결」을 지었는데, 전체 21장으로 되어 있는 「격몽요결」의 4장인 '독서장'에서 독서의 방법론에 대해 이렇게 말하고 있습니다.

> 책을 읽을 때는 반드시 한가지 책을 습득하여 그 뜻을 모두 알아서 완전히 통달하고 의문이 없게 된 다음에야 다른 책을 읽을 것이요, 많은 책을 읽어서 많이 얻기를 탐내어 부산하게 이것저것 읽지 말아야 한다(이이, 1998: 63).

율곡 독서론의 핵심은 책을 철저하게 분석하고 통달해서 그 내용을 완전히 파악할 때까지 책을 읽어야 한다는 것입니다. 한 권의 책을 완전히 마스터 할 때까지 그 책을 읽어야 한다는 것입니다. 율곡의 인격과 학문이 완성되는 데 이와 같은 한 권의 중요한 책을 철저하게 이해하며 읽는 독서법이 크게 유효했음을 우리는 알게 됩니다.

다산 정약용의 독서론

또한 조선 후기의 대학자 중에서 가장 중요한 인물을 꼽으라면 다산 정약용(1762~1836)을 들 수 있습니다. 정약용은 수많은 분야에 걸쳐 수백 권의 저서를 남겼기 때문에 후배들이 다산의 사상을 연구하는 '다산학'이라는 학문분야가 있을 정도로 대단한 학자였습니다. 정약용은 가히 르네상스 시대의 다빈치와 같은 박학다식한 지식인이요, 인격적으로 아주 훌륭한 분이었습니다.

이러한 정약용의 독서방법을 살펴보면 그가 어떻게 해서 그러한 경지에 오르게 되었는지를 알 수 있습니다.

> 책을 읽는 데는 대개 방법이 있다. 세상에 도움이 되지 않는 책은 구름 가듯, 물 흐르듯 읽어도 되지만 만일 백성이나 나라에 도움이 되는 책이라면 반드시 문단마다 이해하고 구절마다 탐구해 가면서 읽어야 하며 한낮의 졸음이나 쫓는 태도로 읽어서는 안 된다(박희병, 1998: 182).

또한 다산은 주역을 읽을 때 자신이 말한 방법대로 즉 '반드시 문단마다 이해하고, 구절마다 탐구해 가면서 읽었던' 독서경험담을 이렇게 들려 줍니다.

> 오로지 주역 한 권의 책만을 책상에 두고 밤낮으로 마음을 가라앉혀 탐구했더니 1803년 계해년 늦봄부터는 눈으로 보는 것, 손으로 만지는 것, 입으로 읊는 것, 마음으로 생각하는 것, 붓으로 쓰는 것에서부터 밥상을 대하고 뒷간에 가고 손가락을 퉁기고, 배를 문지르는 것에 이르기까지 어느 하나 주역이 아닌 적이 없었다. 그리하여 그 이치를 환히 깨달았다(박희병, 1998: 186).

다산 정약용의 이러한 독서론은 율곡 이이의 독서론과 동일합니다. 중요한 책을 완전히 독파하는 방법이었습니다.

중국 주자의 독서론

이러한 유교 선비들의 독서방법은 중국 최초의 전문지식인이자 학자라고 할 수 있는 공자(B.C 551~B.C 479)에게 까지 거슬러 올라갈 수 있지만 조선의 유학자들에게 영향을 미친 유교 독서법의 원조는 아무래도 송학 · 성리학 · 주자학 등으로 불리는 신유학을 완성한 송나라의 대학자 주희(1130~1200) 일 것입니다.

주자라 불리는 주희는 공자 이후 유학에 대한 새로운 해석, 새로운 유학인 주자학을 정리 완성한 사람으로서 기독교로 치자면 어거스틴 혹은 칼빈 정도의 위치에 해당되는 인물이라 할 수 있을 것입니다.

이러한 유학의 대학자인 주자의 독서법 또는 공부법은 주자와 그의 제자들이 나눈 대화록인 「주자어류」 140권 중에서 10권 째인「독서법(상)」과 11권 째인 「독서법(하)」에 담겨 있습니다.

최근 주자의 이러한 독서법 상 · 하권을 한 권으로 묶고 해설까지 한 송주복의 「주자 서당은 어떻게 글을 배웠나」(1999)에는 주자의 독서법이 잘 나타나 있습니다.

> 독서할 때는 모름지기 철저하게 내용을 끝까지 파고들어야 한다. 이것은 사람이 밥을 먹을 때 잘게 씹어야 비로소 삼킬 수 있고, 그런 뒤에나 몸에 보탬이 되는 것과 마찬가지다(송주복, 1999: 47).

스펄전의 독서론

이처럼 인격 성숙을 위한 독서에 있어 가장 중요한 것은 한 권의 책을 철저히 읽는 것이라는 것을 알았던 사람들은 유학자들만이 아니었습니다. 기독교 역사상 가장 많은 책을 읽은 독서가 중의 한 사람이자 루터, 칼빈과 더불어 가장 많은 저술의 양을 남긴 사람인 스펄전(1834~1892)도 이러한 분석 독서를 주장합니다.

> 스무 권의 책을 대충 대충, 곧 '강아지가 나일강 물먹듯이' 읽는 것보다는 한 권의 책을 통달하는 편이 정신적인 체격에 훨씬 더 깊은 영향을 미친다(스펄전, 1982: 319).

'한 권의 책을 가진 사람을 조심하라.' 는 속담이 있다. 그런 사람은 끔찍한 상대다. 성경을 줄줄 외우고 마음속으로 깨우친 사람은 우리의 이스라엘에서 하나의 챔피언이다. 그런 사람과는 겨룰 수 없다(스펄전, 1982: 324).

성경에는 완벽한 도서실이 들어있다. 성경을 철저하게 연구하는 사람은 알렉산드리아 도서관을 통째로 삼킨 학자보다 더 낫다. 성경을 이해하는 것이 우리의 야망이어야 한다. 주부가 바늘에 익숙하듯, 상인이 자기 선반에 익숙하듯, 선원이 배에 익숙하듯 우리는 성경에 익숙해야 한다. 성경의 전체 흐름 · 각 책의 내용 · 상세한 역사 · 교리 · 교훈 · 성경에 담긴 모든 것을 알고 있어야 한다(스펄전, 1982: 323).

2) 한 권의 책을 반복해서 읽어라

한 권의 책을 완전히 자신의 것으로 소화하기 위해서는 철저히 분석적으로 읽는 것 못지 않게 반복해서 읽고, 읽고 또 읽는 것이 중요합니다.

정민 교수는 최근 「책 읽는 소리」라는 책에서 조선 후기 선비들의 독서에 관한 흥미 있는 일화들을 많이 소개해 주고 있습니다. 특히 조선 선비들이 책을 읽을 때 어느 정도로 반복해서 읽었는가 하는 이야기는 참으로 충격적입니다.

만 번씩 책 읽는 김득신(1604~1684)

조선조를 통틀어 책을 되풀이해 많이 읽기로는 김득신(1604~1684)을 따라갈 사람이 없었습니다. 김득신은 사마천의 「사기」의 '백이열전'을 1억1천1백 번이나 읽어 그 호를 억만재라고 했다 합니다. 이 당시 1억은 10만을 나타내는 숫자였다고 하니 적어도 10만 번 이상 읽은 셈입니다.

그러나 김득신이 이렇게 반복해서 읽은 것은 이 한 권의 책만이 아니었습니다. 김득신은 「고문36수독수기」라는 흥미로운 글을 통해 자신이 평소 즐겨 읽은 36편의 글을 읽은 횟수를 이렇게 기록해 놓았습니다.

> 한유의 「획린해」·「사설」·「송고한상인서」·「남전현승청벽기」·「송궁문」·「연희정기」·「지등주북기상양양우상공서」·「응과목시여인서」·「송구책서」·「장군묘갈명」·「마설」·「후장왕승복전」은 1만3천 번씩 읽었고, 「악어문」은 1만4천 번 읽었다. 「정상서서」·「송동소남서」는 1만3천 번 읽었고, 「십구일부상서」도 1만3천 번 읽었다. 「상병부이시랑서」·「송료도사서」는 1만2천 번을 읽었고, 「용설」은 2만 번을 읽었다. 「백이전」은 1억1만1천 번을 읽었고, 「노자전」은 2만 번, 「분왕」도 2만 번을 읽었다. 「벽력금」은 2만 번, 「제책」은 1만6천 번, 「능허대기」는 2만5백 번을 읽었다. 「귀신장」은 1만8천 번, 「의금장」은 2만 번, 「보망장」도 2만 번, 「목가산기」는 2만 번, 「제구양문」은 1만8천 번을 읽었다. 「설존의송원수재」와 「주책」은 1만5천 번, 「중용서」는 2만 번, 「백

> 리해장」은 1만5천 번을 읽었다. 갑술년(1636)부터 경술년(1670)까지 읽은 횟수다. 그러나 그 사이에 「장자」와 「사기」·「대학」과 「중용」을 많이 읽지 않은 것은 아니나, 읽은 횟수가 만 번을 채우지 못했기 때문에 이 글에는 싣지 않는다. 만약 뒤의 자손이 내 「독수기」를 보게 되면, 내가 독서에 게으르지 않았음을 알 것이다. 경술년 늦여름, 백곡 늙은이가 괴산 취묵당에서 쓰노라(정민, 2002: 57~58).

한마디로 기가 질리는 반복 횟수입니다. 1만 번을 반복해서 읽지 않은 것은 수로 치지도 않았습니다. 이처럼 32살 때부터 66살 때까지 약 34년 동안 반복해서 읽은 36편의 글은 눈으로 읽은 것이 아니라 소리 내어서 읽은 것이니 그저 놀랍기만 합니다.

천 번씩 책 읽는 사람들

김득신의 이 글을 읽은 후대의 황덕길(1750~1827)은 아마도 충격을 받았나 봅니다. 그래서 그는 김득신 이외의 다른 사람들은 어떻게 했는지를 찾아보고 「김득신의 독수기 뒤에 쓰다」라는 글을 또 이렇게 남겼습니다.

> 일찍이 선배들을 살펴보니. 김일손은 한유의 문장을 1천 번 읽었고, 윤결은 「맹자」를 1천 번 읽었으며, 노수신은 「논어」와 「두시」를 2천 번 읽었으며, 최립은「한서」를 5천 번 읽었는데, 그 중에서 '항적전'은 두 배를 읽었다. 차운로는 「주역」을 5천 번 읽었고, 유몽인은 「장자」와 유

종원의 문장을 1천 번 읽었고, 정두경은 「사기」를 수천 번 읽었고, 권유는 「강목」 전체를 1천 번 읽었다. 지금까지 동방에서 대가의 문장을 논할 때면 반드시 이 분들을 지목하는데, 그 시를 읽고 글을 읽어보면 그 글이 어디서 힘을 얻었는지 알 수 있다(정민, 2002: 59).

참으로 놀랍습니다. 천 번 읽지 않은 것은 계산하지도 않습니다. 그렇다면 여기에 기록된 소수의 선비들만 이렇게 반복해서 읽었고 다른 선비들은 한 두 번 읽은 것으로 끝냈을까요? 그렇지 않습니다. 선비들의 독서방법은 기본적으로 끊임없이 반복해서 읽는 것입니다. 아마도 중요한 책의 경우에는 최소한 수백 번씩 읽었을 것입니다.

유만주(1755~1788)의 독서 일기

다음은 우리에게 그리 알려져 있지 않은 아주 평범한 조선의 한 선비의 독서일기입니다.

유만주가 20살 때부터 세상을 뜨기 얼마전의 33살까지 약 13 년간 기록한 일기 가운데 한 대목입니다. 일기의 대부분이 이런 독서와 사색으로 가득 차 있다고 합니다.

초 4일, 눈보라가 크게 치고 추웠다. 「화식전」을 외웠다. 백 번을 채우고 그쳤다. 이씨에게서 「상서」를 빌려와 「우공」을 심정하였다.

초5일, 「우공」을 읽었다.

초6일, 흐림, 「우공」을 다 외웠다. 우공은 모두 1,201 자로 되어 있으나 중첩해서 쓴 글자가 워낙 많다. ……(중략)……우공의 '구주전부정 착승강도'를 그림으로 그렸다. 저녁에 회오리바람이 불고 눈보라가 날리더니 밤새 그치지 않았다.

초9일, 우공을 외웠다. 백 번을 채운 뒤에 그만 두었다(정민, 2002: 22).

세종대왕의 백독백습

어릴 때부터 유난히 독서를 좋아했던 조선의 가장 대표적인 성군인 세종대왕의 독서법도 예외는 아니었습니다. 어린 시절 세종의 독서법은 '백독백습' 즉, 100번 읽고 100번 쓰는 것이었습니다. 아버지 태종이 주는 책이면 「사서삼경」을 비롯해서 어떤 책이든 밤을 새워가며 읽으면서 한 번 읽고, 한 번 쓸 때마다 '바를 정(正)' 자를 표시해 가며, 백 번을 읽고 백 번을 썼다고 합니다. 그래서 태종이 시험삼아 물어보는 것에 대해 항상 능숙하게 답변을 해서 태종을 놀라게 했다고 합니다(김정진, 2001: 16~23).

천로역정을 100번이나 읽은 스펄전

교회사의 위대한 독서가 스펄전 또한 한 권의 책을 반복해서 읽어야 할 것을 이렇게 강조합니다.

철저하게 읽어라. 몸에 흠뻑 밸 때까지 그 안에서 찾아라. 읽고 또 읽

> 고 되씹어서 소화해 버려라. 바로 여러 분의 살이 되고 피가 되게 하라. 좋은 책은 여러 번 독파하고 주를 달고 분석해 놓아라(스펄전, 1982: 319).

실제로 스펄전은 존 번연의 「천로역정」을 생애 동안 무려 100번 이상 읽었습니다. 존 번연의 「천로역정」은 청교도 구원론의 핵심 저서였습니다. 청교도 구원론의 순서들이 비유적인 인물들을 통해서 생생하게 그림처럼 그려져 있는 책입니다. 죄에 대한 각성으로부터 천국에 들어가기까지의 성도의 일생을 드라마틱하게 그리고 있는 불후의 명작입니다. 등장 인물 하나 하나가 청교도 구원론의 목차라고 말하는 사람도 있을 정도입니다. 특별히 내용만이 아니라 그 문체 또한 너무나 생생한 기독교 문학의 보고입니다.

따라서, 스펄전이 이러한 「천로역정」에서 받은 도움은 참으로 심오했던 것 같습니다. 스펄전의 설교화법과 저술의 문체가 존 번연의 「천로역정」을 많이 닮았다고 평가되기도 하는 것은 우연이 아닙니다. 문자 그대로 스펄전은 존 번연의 「천로역정」을 읽고, 읽고 또 읽어서 완전히 자신의 피와 살이 되도록 했던 것입니다.

1년만에 성경을 100번 읽은 김익두 목사

한국교회의 초기에 활약했던 하나님의 사람들을 살펴보면 한결같이 성경 읽기에 열심이었던 것을 볼 수 있습니다. 김익두 목사(1874~1950)는 1930년대 한국교회를 대표하는 유명한 부흥사였습니다. 김익두는 예수 믿기 전에는 '호랑이 김익두'라는 별명이 있을 정도로 동네의 망나니였고, 주색잡기에 빠져있던 사람이었습니다.

1900년 27살 때 예수를 믿기 시작하고 1개월이 되었을 때 교인들 앞에서 신앙고백을 하고 그 해 7월에 세례를 받기로 하였습니다. 그런데 그 해 7월에 순회하며 세례식을 거행하기로 했던 소안론 선교사의 사정으로 세례식을 연기하게 되었습니다. 그러다가 예정보다 1년 지난 1901년 7월에 세례를 받았습니다.

이 기간 동안 김익두는 세례 받을 준비를 하면서 성경을 100독이나 했다고 합니다. 3일에 1번 꼴로 성경전체를 통독한 것입니다. 이런 성경 읽기를 통해 김익두는 엄청나게 변했습니다. 이후 김익두는 전도사가 되고 목사가 되어 신천교회를 섬기면서, 전국의 부흥사로서 수많은 치유의 기적을 일으키며 한국교회를 섬기다가 1950년 공산주의자들에 의해 순교당하여 하나님의 나라로 갔습니다.

요한계시록을 만 번 읽은 길선주 목사

길선주 목사(1869~1935)는 '조선의 바울'로 불리는 한국 초대교회의 거성이며 큰 지도자였습니다. 1897년 선도의 도사생활을 하던 길선주는 의형제 김찬성의 전도와 사도 바울 같은 극적인 회심을 체험하고 29살에 예수 믿고 세례를 받았습니다. 38세 때, 1907년 평양신학교 1회 졸업생으로서 최초의 장로교 7인 목사 중의 하나가 되었고, 1919년 3 · 1 운동 때에는 기독교 대표자 중의 한 사람으로 서명하기도 했습니다.

또한, 길선주 목사는 한국교회 최초로 새벽기도회를 시작하기도 한 인물입니다. 특히, 길선주 목사는 1907년 평양 대부흥의 주역으로서 평생을 전국 순회 부흥사로서 죽을 때까지 약 2만 번 이상의 설교를 하였으며, 길 목사의 설교를 들었던 청중은 연 3백8십만 명 이상이었습니다. 또한 8백여 명의 각계 지도자를 길러내며, 3천여 명의 교인들에게 세례를 주었고, 60여 곳에 교회를 개척하기도 했습니다.

그러다가 1935년 66세로 어느 교회의 부흥집회 마지막날 마지막 시간 축도 후에 쓰러져서 임종했습니다. 길선주 목사는 초대교회의 바울 같은 사람이었고, 18세기 영국 부흥운동시의 휘트필드나 요한 웨슬리 같은 우리 한국교회의 큰 별이었습니다.

길선주 목사의 이러한 놀라운 사역의 비결 중의 하나는 바로 꾸준한 성경 읽기와 연구였습니다. 길선주 목사는 매일 하루에 1시간씩 성경을 읽고 암송하였고, 하루 3시간씩 성경연구와 집필을 하였으며, 하루 2시간씩 빠짐없이 독서를 했습니다. 그리하여 평생 구약 전체는 30번, 창세기, 에스더와 이사야서는 540번, 신약 전체는 100번, 요한 서신은 500번, 특히 요한 계시록은 10,000번을 읽었습니다(길진경, 1980: 122~123, 181).

3) 한 권의 책을 암송하라

한 권의 책을 완전히 나의 것으로 소화하려면 단순히 많이 반복해서 읽는 것으로 그치지 말고 완전히 외울 정도가 되어야 합니다. 특별히 종교의 경전 같은 경우에는 중요하거나 필요한 부분은 외우는 것이 가장 좋은 독서방법입니다.

옛날 유대인들이 성경을 배우거나 또한 유교의 선비들이 유교 경전을 읽을 때는 대부분 경전들을 암기해서 배웠습니다. 당시에는 책이 워낙 희귀해서 대부분 암송을 통해서 책을 가르치고 배웠지만 이것은 중요한 책을 읽는 중요한 방법이기도 합니다.

유교 경전을 다 외우는 데 걸리는 시간

송나라 때의 대 문장가인 구양수는 주요 유교 경전을 다 외우는 데 걸리는 시간을 이렇게 말하기도 했습니다.

> 글자의 수를 헤아려 보았더니 「효경」은 1,903자, 「논어」는 11,750자, 「맹자」는 30,685자, 「주역」은 24,107자, 「서전」은 25,700자, 「시경」은 39,234자, 「예기」는 99,010자, 「주례」 는 45,806자, 「춘추좌전」은 196,845자였다. 날마다 300자씩 외우면 4년 반이면 다 마칠 수가 있다. 조금 우둔한 사람이라 반으로 줄여 외운다 해도 9년이면 다 외울 수가 있다(정민, 2002: 16~17).

퇴계 이황의 암기 독서법

조선중기의 대표적 유학자였던 퇴계 이황(1501~1570)의 독서경험담은 이에 대한 가장 좋은 예가 될 수 있을 것입니다.

6살 때 이웃 노인에게 천자문을 배운 퇴계가 본격적으로 유학을 공부한 것은 12살 때 삼촌 송재공으로부터 「논어」를 배우면서였습니다. 송재공은 퇴계에게 논어의 구절 구절의 의미를 완전히 이해하고 심지어는 주석까지 그 의미를 다 이해하도록 했습니다. 그러나 이렇게 내용을 이해한 것으로 공부가 끝난 것은 아니었습니다. 한 권의 책을 다 배우고 나면 반드시 그것을 다 외우게 하고 다음 책으로 넘어가게 했습니다. 그리고 그 다음 권을 배우면 앞에 배운 책부터 다시 함께 외우게 했습니다.

그래서 「논어」를 다 배운 퇴계는 송재공 앞에서 책을 덮고 외웠습니다. 퇴계는 「논어」의 원문과 주석을 초장 첫 구절부터 종장 마지막 구절까지 완전히 외웠습니다.

이러한 방식으로 유교의 경전을 한 권씩 독파해 나갔던 것입니다. 이렇게 반복해서 읽고 외우면서 공부한 경험을 퇴계는 이렇게 말합니다.

> 한 권을 마치면 반드시 그 책을 외우고 두 권을 마치면 내리 외었다. 이렇게 하기를 오래하니 차츰 처음 배울 때와는 달랐다. 그리하여 3, 4 권을 읽게 되었을 때는 간혹 스스로 터득되는 바가 있었다(하창완 · 김창석, 2001: 26).

선비들이 이처럼 한 권의 책을 반복해서 읽고, 그 의미를 깨우친 다음에도 완전히 암기했던 이유는 무엇일까요? 그것은 죽은 독서가 아니라 산 독서가 되기 위한 것이었습니다.

책을 덮으면 읽은 내용을 까마득히 잊어버리는 것이 아니라 책을 덮고 난 뒤에도 그 내용을 또렷이 기억하는 독서를 하기 위한 것입니다.

단순히 책의 내용을 머리로 이해할 뿐만 아니라 읽은 내용의 의미를 가슴 깊은 곳에 새겨서 삶으로 실천하기 위해서입니다.

선비들이 책을 읽고 또 읽고, 외우고 또 외운 것은 바로 독서를 통해서 자기를 이해하고, 세상을 이해하는 안목과 통찰력을 위해서였습니다. 선비들은 자신들이 읽은 몇 권 안 되는 유교 경전들을 완전히 이해하고, 반복해서 읽고 외움으로써 유교적인 방식으로 세상을 이해하는 통찰력을 얻었고, 자기자신을 이해하고 인격적인 수양을 위한 안목을 길렀던 것입니다.

성경암송에 힘썼던 성도들

훌륭한 성도들 가운데는 성경을 많이 암송한 사람이 많습니다. 에라스무스는 교부 제롬에 대해 이야기하면서 "그 사람처럼 전체 성경을 외우는 사람, 그 사람처럼 성경을 줄줄 외우고 명상한 사람이 어디 있겠는가?"라는 질문을 했다고 합니다.

또한, 종교개혁자 가운데 한 사람인 쯔빙글리는 신약성경 전부를 헬라어 원어로 암송할 정도였습니다.

유명한 화란 학자이자 「계약」의 저자인 위트시우스는 성경을 원어로 줄줄 외웠을 뿐 아니라 훌륭한 저자들의 문맥과 비평까지도 달달 외우고 있었는 것으로 이야기되고 있습니다.

유명한 천재 윌리엄 헌팅턴은 설교하면서 언제나 성경의 장 · 절을 대면서 인용했는데 자신이 인쇄된 책에 의존하는 시시한 사람이 아니라는 것을 과시하기 위해서 버릇없게도 설교단 앞에서 성경을 딴 데로

옮겨놓곤 했다고 합니다.

또한, 장기복역을 하다가 옥에서 예수님을 믿게 된 사람들 가운데서나 소록도에 계신 분들 중에서는 신약성경을 기본적으로 외우는 분들이 많고, 심지어 구약의 대부분까지 외우는 분들이 있다고 합니다. 이 분들은 특별한 환경 속에 있어서 성경 외우는 시간이 많기 때문입니다.

성경암송에는 얼마나 시간이 걸릴까?

그렇다면 만일 성경 전체를 다 외우려고 한다면 시간은 얼마나 걸릴까요? 구약은 39권 929장 23,214절이고, 신약은 27권 260장 7,957절로 되어 있는데 성경 전체를 볼 때 성경의 1장은 평균 26절로 되어 있고, 구약은 평균 25절, 신약은 평균 30절로 되어 있습니다.

따라서 이론적으로 성경 전체를 하루 한 절씩 외우면 85년, 2절씩 외우면 42년, 4절씩 외우면 21년, 8절씩 외우면 10년 걸린다는 계산이 나옵니다. 신약의 경우만을 한정한다면 하루 1절씩 외우면 21년, 2절씩이면 10년, 4절씩이면 5년, 8절씩이면 약 2년 6 개월이 걸립니다. 만일 다른 일은 하지 않고 밤낮으로 성경만 하루에 1장씩 외운다면 신약은 9 개월 걸리며, 성경 전체는 약 3년 걸립니다.

물론 이것은 모든 성도들이 성경 전체를 다 외워야 한다는 것은 아닙니다. 암기력이 특별히 좋지 않은 사람이 성경 전체를 암기한다는 것은 불가능합니다. 또한 일상생활을 하는 성도들에게 성경 전체를 암기할 시간도 없습니다. 그러나 분명한 것은 성경 전체를 암기하지는 않아도 성경의 중요한 권이나 장이나 절은 반드시 암기하면 좋습니다. 티끌 모아 태산이라 했습니다. 낙숫물이 바위를 뚫는다고 했습니다. 무슨 일이든지 규칙적으로 끊임없이 한다는 것은 이처럼 무서운 것입니다.

김익두 목사의 성경암송

김익두 목사의 능력 있는 사역의 원동력 가운데 하나는 지속적인 성경 읽기와 암송이었습니다. 김익두 목사는 성경의 거의 주요부분은 다 암기하다시피 했습니다. 이를 잘 보여 주는 한 에피소드가 있습니다. 주일 오후에 모이는 청년 집회 때 있었던 일입니다.

김익두 목사: "여러분은 하루에 얼마만큼씩 성경을 보시나요?"

청년들: "두 장쯤 봅니다."

"한꺼번에 봐 버리고 죽 쉬는 형편입니다."

"한 장 정도지요, 뭐."

김익두 목사: "그러면 예수 믿고 나서 신구약 성경을 몇 번 읽었나요?"

청년들: "한 번쯤 될 겁니다."

"두 번이나 보았을까요?"

김익두 목사: "이후로는 열심히 성경을 보아서, 성경이 거의 외워지도록 할 결심을 하시오."

청년들: "그럼 목사님은 성경을 외우시나요?"

김익두 목사: "다는 못해도 필요한 만큼은 외울 것이외다."

청년들: "그럼 저희가 물어도 되나요?"

그리하여 청년들 중에 누가 성경을 펼쳐서 읽으면 김목사는 그가 어느 책 몇 장 몇 절이라고 대답하였는데 한 곳도 틀리지 않고 척척 알아 맞혔다(박용규, 1991: 54).

길선주 목사의 성경암송

어떻게 길선주 목사님이 요한계시록을 만 번이나 읽을 수 있었던 것일까요? 이것은 길 목사님이 30여 년 동안 매일 요한계시록을 한 번씩 읽었기 때문입니다. 매일 하루를 시작하기 전에 요한계시록을 한 번씩 암송했던 것입니다. 길 목사님은 이외에도 구약의 선지서 · 시편 · 신약의 복음서 · 로마서 · 요한서신 등을 거의 외우다시피 했다고 합니다.

4) 어떤 책을 철저히 읽을 것인가?

그렇다면 어떤 책을 이렇게 읽어야 하는가? 하는 문제가 대두됩니다. 우리의 영적 성숙을 위한 독서에서 중요한 점은 신앙 성숙에 꼭 도움이 될 만한 중요한 책을 잘 선별해야 한다는 것입니다. 인생은 짧고 읽을 책은 많습니다. 책은 하루에도 수십 권, 한 달이면 수백 권씩 쏟아져 나옵니다. 그야말로 책의 홍수시대, 정보의 홍수시대입니다. 그렇지만 아무 책이나 닥치는 대로 읽을 만큼 우리 인생이 그렇게 한가롭지 않습니다. 또한 평범한 사람들이 한 평생 읽을 수 있는 책의 양은 한정되어 있습니다. 따라서 '아무 책이나 닥치는 대로 많이'가 아니라 반드시 읽어야 될 필독서를 잘 선별하는 것이 중요합니다.

책 중의 책: 성경 66권

이 세상에서 읽고, 읽고 또 읽고, 외우고, 외우고 또 외워서 완전히 통달해야 할 1권의 책이 있다면 그것은 바로 성경입니다. 성경은 66권으로 구성된 하나의 전집이요, 총서입니다. 즉 성경전서, 성경총서입니다. 그러므로 성경은 크게 보면 한 권의 책이고, 작게 보면 66권의 전집입니다.

성경은 주전 1500년경부터 주후 100년까지 약 1600년 동안 약 40명의 저자들에 의해서 기록된 책입니다. 그러나 성경은 이러한 40여 명의 저자들을 통해서 주신 하나님의 계시라는 점에서 하나님의 말씀이기도 합니다. 그러므로 성경은 이 세상에서 가장 독특한 책입니다.

예수님께서 완전한 하나님이시며, 또한 완전한 인간이시듯이 성경 또한 완전한 하나님의 말씀인 동시에 완전한 사람의 말이라는 양면성을 가지고 있습니다. 예수님의 한 인격 속에 신성과 인성이 있듯이 성경에도 신성과 인성이 있습니다.

성경의 내용의 원천은 바로 하나님이시며, 성경은 하나님의 계시이며, 하나님의 영감으로 기록되었다는 점에서 성경은 하나님의 말씀입니다. 그러나 하나님께서 자신의 특별한 구원계시를 인간의 역사를 통해서, 인간의 언어를 통해, 인간 저자를 사용하셔서 기록하셨으므로 인간의 말이기도 합니다.

예를 들어 신약성경의 로마서는 하나님의 말씀인 동시에 또한 바울의 말이기도 한 것입니다. 로마서의 내용상 그 계시적인 측면을 강조할 때는 하나님의 말씀이라 말하기도 하고, 로마서를 직접 기록한 인간 저자를 강조할 때는 '바울이 로마교인들에게 보내는 편지' 라고 부르기도 하는 것입니다.

성경은 하나님의 특별한 계시 즉, 우리 인간을 위한 구원의 계시를 담고 있다는 점에서 이 세상의 다른 어떤 책과도 비교할 수 없는 유일무이한 책입니다. 성경만이 유일한 하나님의 말씀입니다. 그러므로 성도들에게 있어서 필독서 중의 필독서는 바로 성경입니다. 성도들은 이 하나님의 말씀을 할 수만 있다면 10번, 100번, 1000번이라도 반복해서 읽고, 읽고 또 읽어야 하며, 외우고, 외우고 또 외워야 합니다.

고전과 명저목록

성경 다음으로 우리가 여러 번 반복해서 읽어야 할 책들은 어떤 책들입니까? 우리는 이미 수천 년이나 수백 년 혹은 수십 년을 거치면서 시대와 지역과 언어를 초월하여 수많은 그리스도인들의 영적 성숙에 도움이 되는 것으로 검증된 책들을 읽어야 합니다.

우리의 인격과 사상과 신앙 성숙에 도움이 되는 이러한 필독서를 우리는 '기독교 고전' 이라 부르기도 하고, '명저' 라고 부를 수도 있습니다. 2천여 년의 교회사 기간 동안 이러한 고전의 지위를 누리고 있는 책들은 그리 많지 않습니다. 사람마다 기준이 다르기는 하지만 적게 뽑으면 수십 권, 많게 뽑아도 수백 권이 안 될 것입니다.

기독교 고전 및 명저 안내

2천 년 교회역사를 통해 어떤 책들이 고전으로 평가받는 책들인지를 알려면 테리 글라스피(Terry W. Glaspey)의 「고전과 명저 읽기 안내」(*Great Reading: A Guided Tour of Classic & Contemporary Literature*)(부흥과개혁사, 독서법 시리즈 2권으로 발간 예정)를 참고하면 됩니다. 이런 비슷한 종류의 기독교 고전 목록이 몇 권 더 있지만 이 책은 2천 년 교회사에서 고전으로 평가받아 온 책에 대한 간략한 설명과 더불어 시 · 소설 · 어린이 도서 · 현대의 기독교 세계관 형성과 영적 성장에 필요한 경건서 등에 대한 종합적 도서 목록을 제시해 주기 때문에 매우 유용합니다.

20세기 교회를 움직인 100권의 책

기독교 고전 목록에서 제가 추천하는 또 한 권의 책은 윌리엄 피터슨(William J. Petersen)과 랜디 피터슨(Randy Pertersen)이 공저한 「20세기 교회를 바꾼 100권의 책」(*100 Christian Books That Changed the Century*)(부흥과개혁사, 독서법 시리즈 3권으로 발간 예정)입니다.

이 책은 제목 그대로 20세기 교회에 가장 큰 영향을 미쳤던 100권의 책을 연도별로 가려 뽑은 것입니다. 이 책은 20세기의 기독교 베스트셀러 목록이기 때문에 이 책 속에 수록된 모든 책들이 다 신학적으로나 영적으로 고전이나 명저에 속하지는 않습니다.

그러나 이 책의 특징은 20세기 교회에서 최고 베스트셀러가 되어 이 책들이 발간될 당시의 교회에 가장 큰 영향력을 끼친 책들의 목록이라는 점에서 역사적으로도 가치가 있으며, 실제로 이 책 목록 중에는 아주 좋은 책들이 많이 수록되어 있습니다.

이러한 고전 독서 목록들을 통해 우리는 2천 년 교회 역사 또는 20세기 교회 역사에 있어서 성도들에게 가장 영적인 유익을 끼쳤던 책들이 무엇인지를 참고할 수 있습니다.

일반 분야의 고전 목록

또한 기독교 고전만이 아니라 일반 문학과 역사와 철학 등의 일반 교양 분야의 고전들도 마찬가지입니다. 기독교적 세계관과 안목을 가지고 이러한 일반 고전들도 시간이 허락되는 만큼 읽게 된다면 우리의 인간과 세계 이해에 큰 도움을 얻게 될 것입니다.

이런 일반고전 목록들은 다음과 같은 책들에 소개되어 있습니다. 동아일보 출판국(2000)에서 엮은 「세계를 움직인 100권의 책(상 · 하)」에는 사상 · 역사 · 지리 · 사회 · 자연과학 · 문학 · 예술 등의 각 분야의 명저 100권에 대한 소개와 더불어 전문가들에 의한 해제가 붙어 있고, 부록으로 미국 독서 서클과 시카고 대학교 교수진이 90년 계획으로 발표한 그레이트 북스 144권, 중앙공론사(일본)에서 선정한 세계의 명저 206권, 일생의 독서 계획 135권 등 세계적 권위를 지닌 명저 목록이 수록되어 있어, 일반 분야의 고전으로 평가받은 책들이 무엇인지를 알 수 있습니다.

또한 이런 고전목록과 해제를 다룬 비슷한 종류의 책으로는 반덕진이 편저한 「서울대 선정 동서고전 200선」(1994), 고려대학교 출판부가 엮은 「교양명저 60선 논저편」(1975)과 「교양명저 60선 문학편」(1975) 등을 참고하면 됩니다.

2. 한 사람의 스승을 마스터하라

1) 한 사람의 영적 스승 밑에서 배워야 한다

독서를 통해 시대를 초월한 멘토링 관계

인격적 혹은 영적 성숙을 위한 독서 방법 가운데 두 번째로 중요한 지침은 신앙과 신학에 도움이 되는 영적 스승을 만나면 그 사람의 책을 전부 읽는 것입니다. 한 사람의 영적 스승의 전집을 다 읽는 것입니다. 그런 저자를 발견했을 때는 그 저자가 쓴 모든 책을 빠짐없이 읽는 것이 좋습니다. 그 저자의 사상을 통째로 이어받는 것이 좋습니다.

물론, 한 사람의 탁월한 저자라 할지라도 그가 쓴 책 모두가 다 좋은 것은 아닙니다. 각 분야에는 가장 뛰어난 전문가가 있기 마련이고 분야마다 최고의 책이 있기 마련입니다. 그러나 아주 뛰어난 한 사람의 저자는 그가 다루는 주제마다 그리고 그가 쓴 책마다 그 분야의 가장 뛰어난 내용일 때가 많습니다. 가장 뛰어난 피아니스트가 연주하는 곡은 그 곡이 어떤 곡이든 아주 탁월한 연주가 되는 이치와 마찬가지입니다.

제자는 스승과의 사상적인 교류를 통해 사상이 성장하고 발전하는 것을 경험합니다. 제자가 스승보다 뛰어나지 못하다면 스승의 사상을 전수하는 사람이 될 것이고 스승보다 제자가 뛰어나다면 스승의 사상을 넘는 더 깊은 사상을 가지게 될 것입니다.

한 사람이 평생토록 체험하고 생각한 경험과 사고의 진수를 엑기스처럼 흡수하게 될 것입니다. 자기도 모르는 사이에 자기가 읽고 있는 저자의 수준에 가까이 따라가게 될 것입니다.

신앙 성숙을 위한 독서 방식은 모든 분야의 예술가들이 스승과 제자 간의 개인적인 교육과 학습에 의해서 이루어지는 것과 같은 것이어야 합니다. 마치 무술을 전수하는 스승과 제자 사이의 관계처럼 독서를 통한 신앙의 선배와 우리와의 관계는 밀접해야 합니다. 모든 학문에 있어 스승과 제자 사이에 학풍이 전달되는 방식으로 저자와 독자 사이의 관계가 형성되어야 합니다. 이렇게 할 때 신앙 성숙을 위한 도약이 이루어지게 됩니다.

아더 핑크의 독서론

20세기의 훌륭한 성경 연구가인 아더 핑크는 후배들에게 보내는 편지에 자신의 독서론을 이렇게 피력한 바 있습니다. "한 두 명의 저자에게 보내는 시간을 다른 20~30명의 저자보다 50~60배 더 많이 하라." 또한 어떤 인물을 이렇게 읽을 것인가? 에 대해 이렇게 말했습니다. "존 오웬, 토마스 굳윈, 토마스 맨톤은 칼빈보다 2배나 더 유익하다네." "존 오웬, 조나단 에드워즈는 다 읽는 데 2년은 걸릴 걸세. 다 읽을 때까지 다른 책을 읽지 말게."

아더 핑크가 강조한 것이 바로 이것입니다. 책을 읽을 때는 산만하게 이 사람, 저 사람의 책을 읽지 말라는 것입니다. 오히려 한 사람의 중요한 스승을 만나면 그 사람의 책을 전부 다 철저하게 읽으라는 것입니다. 사실 교회사의 수많은 영적 거장들이 이런 방법으로 책을 읽어왔습니다. 이에 대한 몇 가지 실례를 보여드리겠습니다.

2) 한 사람의 영적 스승을 통해 영적 거인이 된 사람들

어거스틴을 통해 성경으로 돌아간 종교개혁자들

먼저 16세기 위대한 종교 개혁의 두 영웅인 루터(1483~1546)와 칼빈(1509~1564)이 이런 방식으로 책을 읽었습니다. 루터가 종교개혁 1세대로서 종교개혁의 선봉장이라면 칼빈은 루터의 뒤를 이어 종교개혁 2세대로서 종교개혁의 완성자라 부를 수 있습니다. 이들이 일으킨 종교개혁의 가장 중요한 모토는 '성경으로 돌아가자.' 는 것으로 알려져 있습니다. 중세의 잘못된 전통을 걷어내고 성경의 진리로 돌아간 것입니다.

그러나 어떻게 루터와 칼빈이 '성경의 재발견' 을 이룰 수 있었습니까? 그것은 바로 어거스틴(354-430)을 만났기 때문입니다. 어거스틴의 가르침을 통해 성경으로 돌아갈 수가 있었습니다. 그래서 맥그래스 같은 학자는 종교개혁을 '어거스틴을 통해 성경으로 돌아간 운동' 이라고 부르고 있습니다.

사실, 루터와 칼빈이 성경으로 돌아가게 된 것은 일반적으로 교부들의 영향이 컸고, 이 중에서도 어거스틴의 영향이 절대적이었다고 해도 과언이 아닙니다.

루터와 칼빈 모두에게 있어서 과연 어거스틴은 스승 중의 스승이었습니다. 루터와 칼빈 모두 천 년이라는 시간의 간격을 훌쩍 뛰어넘어 어거스틴이 남긴 저작들을 통해 어거스틴의 수제자들이 되었습니다. 루터와 칼빈은 모두 어거스틴의 남긴 저서들을 깊이 읽고 연구함으로써 자신들의 삶과 신앙과 신학을 건축할 수 있었던 것입니다. 이를 조금 더 자세하게 살펴보도록 하겠습니다.

어거스틴을 스승으로 삼은 루터

루터는 칼빈이 태어나던 해인 1509년 신학공부의 1단계를 마치고 성서 분야의 자격시험을 통과함으로써 신학자가 되었습니다. 루터는 이때 에르푸르트에서 피에르 롬바르트의 책 주석을 가르치기 시작했습니다. 루터는 롬바르트의 책을 통해 어거스틴을 만나게 됩니다. 롬바르트도 그 시대의 다른 신학자들처럼 어거스틴의 영향을 많이 받은 사람이었기 때문에 자신의 책에 끊임없이 히포의 주교 어거스틴을 인용했던 것입니다. 루터는 롬바르트의 책에 대해서는 비판적인 생각을 가지고 있었지만 롬바르트를 통해 배운 가장 중요한 것은 롬바르트의 인용을 통해 어거스틴을 만났다는 것입니다.

루터가 어거스틴을 만난 것은 루터의 생애에 전환점이 되었습니다.

루터는 어거스틴를 만난 감격을 '무슨 말로 다 찬양할 수 있을까?' 라고 롬바르트의 책을 주석한 자리에다가 적어놓았습니다. 우리는 소위 이런 만남을 운명적인 만남이라 부릅니다. 루터가 어거스틴을 만난 것은 참으로 운명적인 만남이었던 것입니다. 49세 때(1532) 루터는 한 친구에게 이렇게 말했습니다. "나는 어거스틴의 책을 읽었다기보다는 거기에 빠져버렸지."

루터는 이후 아주 열정적으로 어거스틴을 연구했습니다. 이제 어거스틴이 루터의 스승이 되었습니다. 나아가 어거스틴은 루터의 스승 중의 스승이 되었습니다. 그 동안 루터가 배웠던 중세의 신학자들 토마스 아퀴나스나 둔스 스코투스나 오캄 그리고 가브리엘 비엘 등은 뒷자리로 밀려났습니다.

루터가 어거스틴을 만나 어거스틴을 스승으로 삼은 것은 루터의 나이 26세였습니다. 대학 공부를 시작한 지 10년, 어거스틴 수도회에 들어온 지는 6년이 지난 때였습니다.

레온 크리스티아니(Leon Christiani)의 '루터와 어거스틴' 이라는 연구논문에 의하면 루터와 어거스틴과의 관계는 크게 3시기로 나누어 집니다.

제1기는 1509년까지로 루터가 어거스틴 수도회에서 어거스틴이라는 이름을 받았으면서도 어거스틴을 알지 못한 기간입니다.

제2기는 26살(1509)부터 44살(1527)까지의 약 18년 동안 어거스틴을 무조건 숭배하고 자신의 루터주의와 어거스틴주의가 일치한다고 여긴 기간입니다. 이 기간의 전반기인 32살 때(1515년)까지는 아직 어거스틴의 신플라톤주의, 어거스틴의 죄와 은혜에 대한 가르침, 유명론적 스콜라 철학, 성버나드의 신비주의 등의 요소가 혼재되어 있어 어거스틴은 아직 루터의 여러 선생 중의 하나였지만 후반기인 32살(1515)부터 44살(1527)까지는 완전히 어거스틴을 스승 중의 스승으로 생각한 기간이었습니다.

제3기는 44살(1527)이후부터 죽을 때까지의 시기로, 이때는 어거스틴에 대한 비신성화가 부분적으로 루터에게서 일어났으며, 자신의 입장과 어거스틴의 입장에 약간의 차이가 있다는 점을 발견하고 대중 앞에서 조심스러워한 기간입니다.

루터와 어거스틴과의 이러한 관계를 보면 우리는 루터가 1517년 10월 31일 저 유명한 비텐베르크 성당문에 면죄부에 반대하는 95개 조항을 붙였을 때는 이미 루터가 완전히 어거스틴의 제자였음을 알게 됩니다.

이전에 루터는 이미 시편 강의(1513~1515), 로마서 강의(1515~1516), 갈라디아서 강의(1516~1517)를 통해서 어거스틴에 심취하며, 어거스틴에 정통해 있었음을 보게 됩니다.

루터의 종교개혁 사상은 저절로 생겨난 것이 아니라 루터가 어거스틴의 책을 읽으면서 바울의 사상들을 깊이 이해한 결과임을 알 수 있습니다. 이에 대해 크리스티아니는 이렇게 말합니다.

> 루터는 1515년 가을부터 로마서 강해를 하고 있었다. 당연히 그는 바울의 말을 이해하는 데 어거스틴의 힘을 빌리고 있었다. 사도 바울과 어거스틴에게서 그는 내적인 확신을 찾을 수 있었다. 그는 바울과 어거

스틴을 읽고 또 읽었다. 마침내 루터는 어거스틴의 사상뿐만 아니라 문체에도 전문가가 되어 어거스틴의 이름이 붙여진 작품의 진위를 가려낼 정도가 되었다(크리스티아니, 1997: 284).

크리스티아니의 논문에 수록된 루터의 말을 몇 군데 직접 들어보면 루터가 얼마나 어거스틴에 심취해 있었는지를 엿볼 수 있습니다.

1516년 10월 19일 루터가 친구 슈팔라틴에게 보내는 편지의 한 부분에는 다음과 같은 내용이 나옵니다.

> 나는 에라스무스와 다름을 분명히 해야겠네. 성서 해석에 있어서 그는 제롬을 어거스틴보다 먼저 꼽지만 나는 어거스틴을 제롬보다 훨씬 먼저 꼽네. 제롬은 한참 뒤라고 생각하네(크리스티아니, 1997: 287).

1517년 3월 1일 루터가 친구 랑에게 보낸 편지의 일부분에는 이런 내용이 나옵니다.

> 제롬은 5개 국어를 했지만 단 하나의 언어밖에 몰랐던 어거스틴과 상대가 되질 못하지 않는가?(크리스티아니, 1997: 288).

1525년 루터는 자신의 책 「노예의지에 대하여」를 가지고 에라스무스와 정면대결을 벌이면서 에라스무스가 루터에게 위클리프와 발라밖에는 루터 편에 설 사람이 없다고 말하자 이런 반박을 했습니다.

그래, 당신 편에는 사람이 많소. 현대의 신학자들이 있고 대학들 주교들, 심지어 교황까지도 당신 편이요. 당신 편에는 문화와 정신과 대중과 근엄함과 권세와 이적과 성스러움과 그 밖에도 엄청난 것들이 모여 있지요. 반면에 내 편에는 위클리프와 발라 밖에 없소. 그러나 명심해 두시오. 내게는 어거스틴이 있소. 당신은 그를 그냥 지나쳤지만 그는 완전히 내 편이요(크리스티아니, 1997: 291).

루터는 1540년 10~11월 마태시우스의 초대를 받은 자리에서 이렇게 말했습니다.

나는 제롬이나 그레고리가 훌륭하다는 것을 지지하기 위해 목숨을 거는 일 따위는 하지 않는다. 독신생활이나 연옥 또는 미사 문제에 대해 그들은 잘못 판단했음에도 불구하고 모두 그들을 교회의 기둥으로 받들고 있다. 그러나 어거스틴과 암브로시우스는 다르다. 그들에 대해 나는 조금도 의심을 품고 있지 않다(크리스티아니, 1997: 293).

어거스틴을 스승으로 삼은 칼빈

어거스틴을 스승으로 삼고 어거스틴의 저작 전집을 읽으면서 어거스틴의 영향으로 영적 거인이 된 인물은 종교개혁의 선봉장인 루터만이 아니라 종교 개혁의 완성자인 칼빈도 마찬가지입니다. 칼빈도 어느 날 갑자기 혼자 성경을 연구하다가 영감을 받아 위대한 종교 개혁 신학자가 된 것이 아니라 과거 즉 교부들과 중세의 신학자들의 영향을 많이 받았습니다.

칼빈이 가장 큰 영향을 받은 영적 스승은 누구보다 바로 어거스틴이었습니다. 칼빈 총서에는 어거스틴이 1400여 회나 인용된다고 합니다. 칼빈은 교부들에 대해 정통했지만 그 중에도 특별히 어거스틴에 정통했으며, 평생 어거스틴을 연구한 것으로 보입니다. 칼빈 연구가 중의 한 사람인 폴만(Pontien Polman)은 자신의 책 「16세기 종교논쟁에 있어서 역사적 요소」(1932)에서 칼빈이 어거스틴에 받은 영향을 이렇게 말합니다.

> 칼빈이 볼 때 교회의 전통 속에서 최고의 자리는 어거스틴의 것이었다. 그는 일생동안 어거스틴의 작품을 더욱 깊이 있고 폭넓게 이해하는 일을 게을리 하지 않았던 것 같다. 그는 히포의 박사와 자기를 하나로 보려 했다. 그는 자신의 가르침은 이미 어거스틴이 가르친 것이라고 수없이 말했고, 어거스틴의 주장에 전적으로 동감이라고 거듭 말하며, 같은 주장이라도 기왕이면 어거스틴의 용어를 사용하고, 자기 대신 어거스틴이 말하게 했으며, 자기 말보다 어거스틴의 말을 듣는 것이 낫다고 했고 어거스틴이 훨씬 무게가 있다고 거듭 말하곤 했다. ……그에 따르면 어거스틴은 완벽한 칼빈주의자라 할 수 있다. 칼빈의 신학 중에 어거스틴의 글을 인용하여 모아도 칼빈주의 신학의 체계가 훌륭하게 잡힌다고 했다(장 카디에, 1997: 90).

특별히 '칼빈과 어거스틴'과의 관계를 연구한 장 카디에(Jean Cadier) 의 연구 논문 속에 인용된 칼빈의 말을 몇 마디 직접 들어보면 이러한 폴만의 주장이 결코 과장이 아니라는 것을 알게 됩니다.

> 어거스틴에 대해 말하자면 그는 모든 점에서 너무나 우리와 일치한다. 그러므로 이 주제(예정론)에 대해서 나보고 쓰라고 한다면 그의 책을 줄여 옮겨 놓으면 될 정도다. 그러나 너무 길게 되지 않기 위해 4~5쪽에 적으려고 하는데 글자 하나 다르지 않게 쓸 작정이다.……그가 내게 하나 하나 가르치는 대로 적겠다(장 카디에, 1997: 296).

칼빈은 '알베르 피기우스의 험담에 대한 응답'이라는 글에서 어거스틴을 열 여섯 번이나 인용하는데 그 중의 일부는 다음과 같습니다.

> 만일 지금 어거스틴이 살아 있다면 그의 생각을 그대로 말하기만 해도 우리의 입장이 변호되고, 우리를 험담하는 자는 부끄럽게 되리라.
>
> 왜 피기우스는 어거스틴을 법정에 세우지 않고 있는가? 그는 지금 어거스틴과 싸우고 있는 것이며, 그를 이기면 우리에게로 오리라.
>
> 어거스틴이 내 편이라는 나의 말을 피기우스가 비웃고 있다. 내가 말한 것은 이미 어거스틴이 글자 하나 틀리지 않고 몇 번씩 말했던 것이다. 내 말과 어거스틴의 말을 갖다 대어 다른 것이 하나도 없다. 내 주장은 사람의 본성이 타락했다는 것이다. 어거스틴은 무엇이라고 했나? '네가 악을 멀리한 채 무엇을 할 수 있다고 생각지 말라고' 하지 않았는가?
>
> 내가 어거스틴에 기대고 있는데 피기우스는 도대체 어떻게 나를 비웃는단 말인가? 어거스틴이 지금 나를 방어하고 있지 않은가?(장 카디

에, 1997: 298~317).

장 카디에는 칼빈이 악의 문제와 계시의 문제에 대해서만 의견이 다르고, 성경의 권위 · 믿음과 이성의 관계 · 신앙과 은혜 · 삼위일체 · 인간론 · 전전 타락과 하나님의 은혜로 구원받음 · 예정론 · 교회론과 성례론의 전반적인 모든 분야에서 일치함을 논증하고 있습니다.

한 마디로 칼빈은 너무나 어거스틴적인 것입니다. 칼빈의 사상은 어거스틴을 스승 중의 스승으로 모신 가운데 형성되었다고 해도 과언이 아닌 것입니다.

이처럼 우리는 종교 개혁의 두 영웅 루터와 칼빈이 모두 자신들의 시대보다 약 천 년 전의 사람이었던 교부 어거스틴을 자신들의 영적 스승으로 삼고, 어거스틴이 남긴 저작들을 완전히 독파하여 종교개혁을 이룰 수 있었음을 보게 되었습니다.

우리는 루터와 어거스틴 또는 칼빈과 어거스틴의 관계를 통해 루터가 루터 되고, 칼빈이 칼빈 된 것은 바로 어거스틴이라는 스승의 어깨를 딛고 섰기 때문이라는 사실을 확인할 수 있었습니다. 루터와 칼빈은 모두 영적 스승 어거스틴의 어깨 위를 딛고 일어섬으로써 종교개혁의 영적 거장들이 될 수 있었던 것입니다.

이런 방식으로 한 사람의 영적 스승을 깊이 공부함으로써 자신의 신앙과 신학과 목회관을 형성한 사람은 16세기의 루터와 칼빈만이 아닙니다. 루터와 칼빈 이후 지금까지 수없이 많은 루터파와 칼빈파에 속한 사람들은 또다시 루터와 칼빈을 영적 스승으로 삼아 자신의 삶과 신학을 형성했음을 교회사는 수없이 증명하고 있습니다.

루터와 칼빈만이 아니라 교회사에는 수없이 많은 영적 스승이 될 만한 영적 거인들이 있었는데 특히 17세기의 존 오웬과 18세기의 조나단 에드워즈에게 영향을 받은 20세기의 지도적인 복음주의자 몇 사람을 살펴보도록 하겠습니다.

이런 사례들을 열거하자면 한 권의 책으로도 부족할 것이지만 대표적으로 로이드 존스와 제임스 패커 그리고 존 파이퍼의 독서경험담을 소개하겠습니다.

조나단 에드워즈를 스승으로 삼은 로이드 존스

로이드 존스(1899~1981)가 평생에 걸쳐 가장 존경하는 인물은 18세기의 조나단 에드워즈(1703~1758)였습니다. 로이드 존스는 29살에 2권으로 된 에드워즈 전집을 발견한 이후 에드워즈를 탐독했고 이후 에드워즈는 로이드 존스가 평생 가장 존경하는 인물이 되었습니다.

특히, 조나단 에드워즈의 전집은 그의 초기 목회에 있어서 성경 읽는 일 다음으로 가장 큰 자극을 주었다고 할 수 있습니다. 로이드 존스는 1976년에 행한 조나단 에드워즈에 관한 강의에서 자신이 조나단 에드워즈를 처음에 어떻게 만났는지를 이렇게 설명합니다.

> 저는 1927년 목회를 시작하기 직전, 옥스퍼드대학교 신학대학에서 우등을 차지했던 제 친구 중 한 사람에게 읽을 책에 대한 도움을 청했습

니다. 그는 자신의 학위를 위해서 읽었던 매우 많은 책을 추천했습니다.

그 가운데에는 맥기퍼트(McGiffert)라는 사람이 쓴 「칸트 이전의 개신교 사상」이라는 책이 있었습니다. 그 책을 통해서 제가 받았던 유일한 인상은 조나단 에드워즈라 불리우는 사람에 대한 장이었습니다. 물론 거기서 조나단 에드워즈는 주로 철학자로 다루어지고 있었습니다. 그러나 저는 즉시 관심이 생겼습니다.

후에 저는 그 친구를 만나서 "이 사람 조나단 에드워즈에 대해서 더 읽을 만한 것을 어디서 찾을 수 있는지 좀 말해 줄 수 있겠나?"하고 물었습니다. "그가 누군데?"라고 그는 반문했습니다. 그 친구는 에드워즈에 대해서 전혀 알지 못하는 것이었습니다.

저는 많은 의문을 가지고 있었지만 조나단 에드워즈나 그가 한 일에 관해서 제게 말해 줄 수 있는 사람을 찾지 못했습니다. 그러다가 2년 후 아주 우연하게 조나단 에드워즈 전집 2권을 만나게 되어 5실링을 주고 샀습니다. 저는 극히 값진 진주를 발견한 사람의 비유 속에 나오는 자와 같았습니다. 그 두 권이 제게 끼친 영향을 말로 표현할 수 없는 것이었습니다.

이안 머레이는 이 부분을 조금 더 드라마틱하게 그의 전기에서 이렇게 설명해 주고 있습니다.

나는 1929년 카디프에 있는 존 에반스의 서점에 들르게 되었다. 나는 기차를 기다리는 동안 늘 그 서점에 들르곤 했었다. 그런데 그 서점에 오버 코드 깃 아래쯤 되는 편에 무릎을 꿇고 보아야 보일 구석에서

1834년 판인 에드워즈의 두 책을 발견하게 되었다. 나는 그 책을 5실링에 샀다. 나는 이 책들을 탐독하고 문자 그대로 여러 번 반복해서 읽었다. 그 책들이 다른 어느 것보다도 더욱더 나에게 큰 도움을 주었다(이안 머레이, 1990: 382).

이 때 로이드 존스가 조나단 에드워즈로부터 받았던 도움을 로이드 존스는 1969년의 한 신학교 강의에서 다음과 같이 설명합니다.

나는 내 경험상으로 볼 때, 내 목회 초년기에 조나단 에드워즈의 설교를 읽음으로부터 얻었던 도움이 측량할 수 없을 정도로 크다는 것을 간단하게 입증할 수 있습니다.

물론, 그의 설교뿐만 아니라 18세기에 미국에서 일어난 대 부흥을 일으킨 그의 행적도 마찬가지였습니다. 그리고 그의 위대한 저서 「신앙체험」도 내게 큰 용기를 주었습니다.

그 모든 것이 그렇게 가치가 있었던 것은 에드워즈가 영혼의 상태와 조건을 해결하는 데 전문가였기 때문입니다. 그는 목회 사역에서 다양한 영적 체험의 단계를 거쳐 나가는 교인들 사이에서 발생하고 있었던 문제들을 아주 실제적인 방식으로 처리했던 것입니다(로이드 존스, 1977: 194).

로이드 존스는 에드워즈에 대해 이렇게 평가를 합니다.

저는 에드워즈를 다니엘 로울랜드나 조지 휘트필드보다 앞에 놓아야 한다는 것을 두렵게 생각하고 매우 송구스럽게 생각합니다.

참으로 어리석게도 청교도들을 알프스에 비유하고 루터나 칼빈을 히말라야에 비유한다면 조나단 에드워즈는 에베레스트산에 비유하고 싶은 시험을 받곤 합니다. 제게 있어서 그는 언제나 사도 바울을 가장 닮은 사람인 것 같습니다. 물론 휘트필드는 다니엘 로울랜드처럼 위대하고 능력 있는 설교자입니다. 그러나 에드워즈도 그러합니다. 그러나 휘트필드와 다니엘 로울랜드 두 사람은 다 에드워즈가 가졌던 이지나 지성이나 신학에 대한 이해력을 갖고 있지 못했으며, 에드워즈처럼 철학적이지 못했습니다. 제가 볼 때 조나단 에드워즈야말로 아주 빼어납니다. 그러므로 에베레스트산에 유추해 본 이 사람을 추적해 볼 수 있다면, 제가 감당해야 할 임무는 남쪽 계곡을 통해서 에베레스트 산과 같은 이 사람에게 접근할 것인지, 아니면 북쪽 계곡을 통해서 에베레스트산과 같은 이 사람에게 접근할 것인지를 정하는 것입니다. 이 위대한 정상에 도달하는 길은 대단히 많습니다. 무엇보다도 하늘로 치솟은 이 큰 봉우리를 바라볼 때, 왜소한 등산가의 연약성은 더욱 두드러집니다. 제가 할 수 있는 일이란 이 사람과 이 사람의 생애와 이 사람이 행한 일의 윤곽이나마 그려 주는 일일 것입니다. 그리하여 두 권으로 된 그의 전집을 누구나 사서 읽도록 설득하는 것이 궁극적인 목적과 목표입니다(로이드 존스, 1990: 365~366).

로이드 존스가 에드워즈를 이렇게 높이 평가하는 이유는 에드워즈의 완벽성과 균형 때문이었습니다. 즉, 로이드 존스가 보기에 전체 교회사를 통해서 에드워즈는 거대한 지성과 탁월한 영성이 가장 완벽할 정도로 결합된 인물이었습니다. 로이드 존스의 유명한 설교에 대한 정의인 '불타는 논리'를 가장 완벽하게 구현하고 있는 인물이 바로 조나단 에드워즈였다는 뜻입니다. 여기서 불은 일반적으로 말하자면 '뜨거운 감정'이며 논리는 '냉철한 지성'을 의미합니다. 또한 불은 체험을 의미하며, 논리는 신학을 의미합니다. 물론 설교적인 문맥에 있어서는 불이란 설교의 전달을 의미하며, 논리란 설교의 내용을 의미하는데 구체적으로 말하자면 설교의 내용에는 건전한 신학이 있어야 하고 설교의 전달에는 '성령의 기름 부으심'이 있어야 한다는 로이드 존스 설교관의 핵심을 표현하고 있는 말입니다.

조나단 에드워즈는 로이드 존스가 평생 추구하는 교리적 기독교와 체험적 기독교를 가장 이상적으로 결합하고 있는, 로이드 존스의 평생의 영적 스승이었던 셈입니다.

조나단 에드워즈를 스승으로 삼은 존 파이퍼

조나단 에드워즈라는 영적 거인에게 영향을 받은 사람은 비단 로이드 존스만이 아닙니다. 오늘날 미국 복음주의계에 아주 큰 영향을 미치고 있는 존 파이퍼가 복음주의 지도자로서 성장할 수 있었던 것은 한 사람의 영적 스승 조나단 에드워즈의 영향이 결정적이었습니다.

존 파이퍼는 신학교 입학 이후로 지난 30년간의 공부와 목회생활을 돌아보면서 자신이 한 사람의 복음주의자로 건강하게 설 수 있었던 것은 바로 조나단 에드워즈를 스승으로 삼고, 조나단 에드워즈의 책을 모두 독파했기 때문임을 밝혔습니다.

존 파이퍼(1999: 77~97)는 「하나님의 영광을 위한 하나님의 열심」(*God's Passion for His Glory*)(부흥과개혁사 발간 예정)이라는 책 제1부 3장에서 자기가 어떻게 조나단 에드워즈의 저서들을 통해 영향을 받았는지를 이렇게 간증합니다. 이 내용 중 중요한 대목을 요약하면 다음과 같습니다.

내가 신학생이었을 때, 한 지혜로운 교수님이 성경 외에 한 사람의 위대한 신학자를 선택해서, 평생토록 그의 사상을 이해하고 통달하기 위해서 노력하며, 항상 여러가지 것들의 표면만을 건드리지 말고 적어도 하나의 창을 실재의 깊숙한 곳까지 찔러 넣으라고 내게 말씀해 주셨습니다. 이는 참으로 유익한 충고였습니다. 내가 다른 누구보다도 몰두한 신학자는 바로 조나단 에드워즈입니다. 내가 신학교에 입학했을 때, 에드워즈에 대해 알고 있는 전부는 그가 "진노하는 하나님의 손안에 있는 죄인"이라는 설교를 했다는 것이었습니다.

내가 실제로 에드워즈를 처음 만난 것은 지오프리 브로밀리 교수님이 강의하는 교회사 시간에서였는데, 이 때 나는 에드워즈의 '삼위일체에 대한 글'에 대해 논문을 쓰려고 했었습니다. 그것은 내가 하나님에 대한 나의 견해를 영원히 도장찍어 준 결정적인 순간 가운데 하나였습니다. ……나의 에드워즈와 에드워즈의 삼위일체에 대한 비전과의 만남은 이렇게 1969년에 일어났고, 그래서 나는 고등학교 때 만났던 에드워즈는 일종의 만화였다는 사실을 알게 되었습니다.

그 다음에 내가 읽은 에드워즈의 작품은 「의지의 자유」였습니다. 나는 이 책이 로마서와 갈라디아서 수업시간에 내가 주석적 노력을 기울이는 것과 조화를 이룬다는 사실을 발견했습니다. 또한 나는 이 책이 철저하게 철학적이라는 것을 발견했습니다. 그러므로 바울 사도와 조나단 에드워즈는 함께 공모해서 나의 자유에 대한 이전의 생각을 파괴시켰습니다. ……이것이 내가 신학교에서 에드워즈에 대해 읽었던 전부입니다.

1971년 신학교를 졸업하고, 독일에서 대학원과정을 시작하기 전 나와 아내는 조지아에 있는 아내의 친척집에서 약간의 휴식시간을 보내었습니다. 여기서 나는 에드워즈를 3번째로 만났습니다. 나는 「참된 도덕의 본질」을 읽었습니다. 이 책은 에드워즈의 유일하게 순수한 비변증적인 작품입니다. 이 책은 내 안에 심오하고도 즐거운 미적 체험을 불러일으켰습니다. 그러나 더욱 중요한 것은 이 책이 나에게 아주 새로운 깨달음을 주었다는 점입니다. 즉, 도덕의 범주들이 궁극적으로 영적 미학의 범주로 용해되며 도덕이 '일종의 아름다운 본성, 형식 혹은 질'이라는 것을 말입니다.

노엘과 나는 1971년 가을 독일을 떠나 3년 동안 문니히 대학에서 공부를 했습니다. 전공 분야는 조직신학이 아니라 신약이었습니다. 그러나 나는 내가 읽은 다른 어떤 신약학자보다 에드워즈가 내 연구에 있어서 영감을 주고 도움이 되었다고 감히 말할 수 있습니다. 이 기간동안 나는 에드워즈가 쓴 3권의 책과 사무엘 홉킨스와 헨리 팜포드 파크가 쓴 전기를 읽었습니다. 저녁 가정모임 시간에 노엘과 나는 고전 13장

강해서인, 우리가 가진 옛날판으로 360페이지가 되는 「사랑과 그 열매」라는 제목의 설교집을 서로에게 읽어 주었습니다. 우리는 에드워즈의 설교가 말이 길고 반복적이라는 데 동감했습니다. 그러나 이 책은 나에게 「도덕의 본질」 안에 있는 벌거벗은 사상에 중요한 체험으로 옷을 입혀 주었습니다.

문니히에 있는 우리 조그만 아파트의 부엌 조금 떨어진 곳에 식기실이 있었습니다. 이 곳은 하나님의 천지창조 목적을 읽기에는 가장 어울리지 않는 장소였습니다. 지금 나의 관점에서 볼 때, 만일 에드워즈 신학의 핵심 혹은 장점을 가장 잘 보여 줄 수 있는 한 권의 책이 있다면 바로 이 「천지창조목적」이라고 말할 수 있습니다.

독일에서 내가 읽은 에드워즈의 마지막 작품은 에드워즈의 「신앙감정에 대한 논문」입니다. 여러 달 동안 이 책은 매 주일 저녁 식탁의 고기였습니다. 나는 매주 이 책이 내게 미친 영향에 대해 이전 나의 선생님들과 친구들과 부모님께 편지 보내던 일을 기억할 수 있습니다. 이 책은 「참된 도덕의 본질」보다 더욱 나에게 하나님께 대한 나의 감정에 죄의 미지근함이 있다는 사실을 확신시켜 주었고, 내 안에서 내가 반드시 해야할 '하나님을 알고 싶고, 하나님을 사랑하고 싶은 열정' 을 불러일으켜 주었습니다.

1968년부터 1974년까지 이러한 발견과 심오한 변화의 날들 이래로, 나는 지적으로나 감정적으로 '하나님의 완전한 충만하심' 에 대한 추구에 머물려고 노력했습니다. 그 기간 내내 에드워즈는 신실한 나의 안내자였습니다. 내가 독일을 떠나 미네소타의 성 바울에 있는 베델 대학에서 가르치는 직분을 잡았을 때, 나는 정규적으로 에드워즈와 대화를 나누기 시작했습니다. 나는 한 해 동안 하루에 15분씩 에드워즈를 읽을 결심을 한 것을 기억합니다. 이것이 내가 꾸준히 「교인자격기준 연구」와 「원죄에 대한 위대한 기독교 교리」를 읽은 방법입니다.

나는 계속해서 내가 「놀라운 회심 이야기」·「은혜에 대한 논문」·「미완성된 구속사」·「데이비드 브레이너드의 유고집」·「뉴잉글랜드 신앙부흥에 대한 관점」·「성찬에 참여할 자격」·「기도합주회」·수많은 설교들·두 개의 전기들과 만난 이야기를 할 수 있습니다. 그러나 여기에서의 핵심은 철저하게 이런 목록을 말하는 것이 아닙니다. 요점은 여러분에게 조나단 에드워즈의 작품을 소개해 주고, 에드워즈가 현대의 한 복음주의자인 나에게 개인적으로 끼친 영향을 보여 주려는 것입니다. 이 영향은 좋은 영향이었고, 이에 대해 나는 하나님께 깊은 감사를 드립니다.

존 오웬을 스승으로 삼은 제임스 패커

제임스 패커(1926~)는 이미 20세기의 고전 중의 하나가 되어버린 베스트셀러 「하나님을 아는 지식」의 저자로 잘 알려져 있습니다. 패커는 20세기 복음주의 지도자 중의 한 사람으로, 1950년대 영국에서 개혁신학과 복음주의가 부흥하는 데 견인차 역할을 했던 사람 중의 하나입니다. 또한 패커는 청교도 신학을 20세기에 계승 발전시켜 준 경건한 신학자의 한 사람으로서 우리 시대의 마지막 영적 거인 중의 하나입니다.

어떻게 패커가 이러한 인물로 성장할 수가 있었을까요? 많은 요인이 있겠지만 이 중에서도 가장 결정적인 영향은 바로 존 오웬(1616~1683)을 스승으로 삼고 존 오웬의 저작 전집을 모두 독파한 것입니다.

패커는 옥스퍼드 대학 1학년 때 회심을 하고 난 후 한 영적 엘리트주의 모임에 빠져 잘못된 가르침에 의해 영적 침체를 경험하고 있었습니다. 그러다가 이 모임의 회원들의 장서를 관리하는 책임을 맡고 있던 중, 이 장서 중에서 23권으로 된 존 오웬 전집을 발견하게 됩니다. 패커는 이 책을 보고 그의 신앙생활의 일대 전환점이 일어났습니다. 패커는 존 오웬에게서 받은 영향력을 이렇게 말합니다.

> 나는 35년이 지난 지금도 내가 지금과 같이 도덕적이고 영적이고 신학적인 현실주의자가 된 데에는 오웬의 영향이 가장 컸다고 생각한다. 그는 나에게 신자들의 내면에 거하는 죄, 그리고 은혜로우신 하나님의 성화의 사역에 대해 내가 알고 있었던 것보다 더 많은 것들이 있다는 것을 가르쳐 주었다. 그는 나의 존재의 근저까지 샅샅이 수색하였으며, 말하는 사람들과 글을 쓰는 사람들이 할 수 있는 기분 좋은 방법에 의해 하나님을 가까이 모셔다 주었다. 또 죄를 죽이는 것이 무엇인지, 그리고 어떻게 하면 그 일에 착수할 수 있는지를 가르쳐 주었다. 그는 신자들의 내면에서 행하시는 성령의 사역의 진정한 본질, 영적 성장과 발전의 본질, 믿음의 승리의 본질을 분명하게 해 주었다. 그는 기독교인으

로서의 나 자신을 이해하는 방법, 그리고 하나님 앞에서 자신의 참모습이 아닌 것을 나타내려 하지 않고 도덕적으로나 영적으로 정직하게 사는 방법을 말해 주었다. 하나님께서 나를 온전하게 하기 위해 오웬을 사용하셨다고 말해도 과언이 아니다(존 오웬, 1991: 23~24).

패커는 자신의 신앙과 신학을 형성했던 과정 속에 오웬의 책이 미친 영향을 또한 이렇게 말합니다.

나는 '그리스도의 죽으심 안에 있는 죽음의 죽음'을 읽었다. 이 책은 1953년 나에게 대속에 대한 끊임없는 성경의 증언은 구속론적이라는 것을 보여 주었으며, 그리하여 나는 원래 철저한 칼빈주의자였지만 더욱 철저한 칼빈주의자가 되었다. 또 오웬의 '성령론'은 나로 하여금 중생과 회심을 이야기하는 방법에 대해 현재 내가 지니고 있는 것과 같은 이해를 주었다. 또 '복음적 교회의 진정한 본질', '영적 은사에 관한 강론', '배교의 본질' 등은 지역 교회의 생활이 어떤 것이어야 하는지에 대한 나의 사상을 형성하는 데 있어서 다른 어떤 책들보다 더 많은 영향을 주었다. 신학교 교수가 된 어느 친구는1950년대에 항상 나를 오웬주의자라고 부르곤 했으며, 나는 그것이 타당하다는 것을 부인할 수 없었다(존 오웬, 1991: 17~18).

3) 어떤 사람들을 나의 영적 스승으로 삼을 것인가?

이와 같은 독서를 통해 개인적인 신앙 지도를 받으려고 한다면 먼저 신앙의 스승을 잘 만나야 합니다. 신앙의 스승을 잘 택해야 합니다. 예술이나 무술이나 기술이나 학문이나 간에 스승의 인격과 실력의 크기만큼 제자가 자라기 마련입니다. 스승의 그릇이 너무 작으면 그 스승에게서 배운 것이 전혀 도움이 안 되는 수가 있습니다.

각 분야에는 각기 최고의 달인들이 있기 마련입니다. 자기 분야에서 각기 완성의 경지까지 도달한 스승들이 있습니다. 각 분야의 거장 밑에서 사사를 받는 것은 그 분야의 거장이 되는 거의 유일한 지름길이자 바른 길입니다. 음악에서는 이런 사람들을 악성이라고 하고, 무술에서는 고수라고 합니다. 바둑은 입신의 경지라고 합니다.

사실, 인간의 모든 분야는 역사상 이러한 거장들에 의해 도약의 발전이 이루어져 왔다고 할 수 있습니다. 그리고 이러한 거장들이 생길 때마다 그 밑에는 무수한 사람들이 그 거장의 영향력 속에서 존재하게 됩니다. 신앙에 있어서도 마찬가지입니다. 교회사에도 각 시대마다 가끔씩 이런 영적인 거인들이 나타났습니다. 바로 그러한 신앙의 거장들을 만나는 것이 중요합니다.

2천 년 교회사의 영적 거인들의 족보

그렇다면 독서를 통해 우리가 평생 배울 만한, 그래서 우리의 평생 스승으로 삼을 만한 영적 거인들은 누구일까요?

필자는 다음과 같은 영적 스승 6명을 소개하고 싶습니다. 초대교회 교부들 중의 교부라 불리는 어거스틴(5세기), 루터와 더불어 종교개혁의 가장 큰 주역이었던 존 칼빈(16세기), 가장 뛰어난 청교도 신학자였던 존 오웬(17세기), 미국 교회의 영적 아버지 조나단 에드워즈(18세기), 설교의 대왕이라 불리는 스펄전(19세기), 20세기 최고의 설교자 로이드 존스(20세기) 등입니다.

이들은 2천여 년 교회 역사 가운데 가장 걸출했던 영적 거인들 중의 거인들입니다. 이들의 공통점은 경건과 신학이 탁월하게 결합된 인물들이라는 점입니다. 또한 자신들이 살았던 당대와 후대의 교회사에 가장 큰 영향을 미쳤던 사람들이기도 합니다. 따라서 목회자와 설교자에게 가장 훌륭한 스승이 될 수 있는 사람들입니다. 사실, 이들 여섯 사람들은 그 중 한 사람의 모든 저서들을 읽고 소화하는 데도 평생이 걸릴 만한 사람들입니다.

17세기 청교도 거인족들

20세기의 훌륭한 성경연구가였던 아더 핑크(1886~1952)는 후배의 독서를 지도해 주는 한 편지에서 영적 성장에 도움되는 저자 목록을 이렇게 말한 적이 있습니다. "존 오웬, 토마스 굳윈, 토마스 맨톤이 루터나 칼빈보다 2배 더 유익합니다."

종교개혁의 아버지들인 루터와 칼빈보다 더 뛰어난 영적 스승들이 있다니! 독자들은 깜짝 놀랄 것입니다. 핑크가 말한 이 세 사람은 별로 이름도 들어본 적이 없는 인물들일 것입니다. 이 세 사람은 모두 청교도라 불리는 인물들이었습니다.

그 동안 교회사에 대한 무지와 자유주의 신학의 영향 등으로 인해 수백 년 동안 잊혀진 청교도들은 영적 거인족들이라는 사실이 최근 새롭게 부각되고 있습니다.

20세기의 가장 뛰어난 복음주의 신학자 가운데 한 사람인 제임스 패커는 청교도를 40여 년 연구한 끝에 청교도들을 둘레가 20~30m요 높이가 거의 100m 가까이 되는, 지구상에서 가장 큰 생명체인 레드우드 삼나무가 밀집해 있는 레드우드 공원에 비유한 적이 있습니다. 패커는 20세기의 어리석고 난쟁이인 우리의 모습에 비해 청교도들은 지혜로운 영적 거인족들이라 말합니다.

청교도 목사들은 우리 시대 목회자들의 영적 스승으로서 손색이 없습니다. 그들은 탁월한 성경과 신학지식만이 아니라 복음에 대한 뜨거운 열정이 있었습니다. 교리적 지식과 실천적 체험이 누구보다 탁월하게 겸비된 사람들이었습니다. 그들은 한결같이 목회자 겸 신학자로서 뛰어난 설교자이기도 했습니다.

이런 면에서 약 100여 명의 방대한 저술들을 남긴 청교도들은 영적 성숙을 원하는 후배들에게 영적 광산이자 영적 보고입니다. 16세기 종교개혁자들 중에는 몇 명의 걸출한 인물들이 돋보이지만 17세기 청교도 시대에는 수없이 많은 기라성 같은 인물들이 나타났습니다.

20세기의 영적 복음주의 지도자들

그러나 실제적으로 교회사에 나타난 영적 거인들을 독자들이 당장 접하기가 어렵다면 20세기의 훌륭한 복음주의적 영적 지도자들을 한 사람씩 마스터하는 것도 유익하다고 생각합니다.

이와 같은 인물로는 20세기 최고의 설교자 로이드 존스, 대중적 개혁신학자 제임스 패커, 뛰어난 성경강사 존 스토트, 기독교적 세계관과 문화관의 기수 프란시스 쉐퍼가 있습니다.

또한, 약간의 독특한 신앙적인 색깔을 가지고 있어서 보편적으로 모든 목회자에게 공감되지는 않지만 신앙적인 사고를 함에 있어 여러 귀한 통찰력을 주는 사람으로서 시 에스 루이스, 자끄 엘룰, 에이든 토저 등이 있습니다.

독서를 통해 한 번쯤 이들의 문하에 입문하여 배운다면 신앙 성숙에 크게 도움을 받을 수 있을 것입니다.

3. 독서의 균형을 맞추어라

영적 성숙을 위한 독서의 세 번째 중요한 방법은 독서 시간 배분에 있어 책의 종류에 균형을 맞추어야 한다는 점입니다. 사람은 자기가 읽는 책의 종류에 따라 영향을 받기 마련입니다. 우리 인체는 우리가 먹는 음식의 종류에 따라 건강과 성장에 크게 영향을 받는다는 것은 상식입니다. 음식을 편식하게 되면 반드시 영양의 불균형이 초래되어 성장기의 어린이들이 자라는 데 영향을 받거나 병들기 마련입니다. 음식을 적당량 규칙적으로 골고루 먹는 것이 몸의 건강에 가장 좋은 식사법입니다.

우리의 정신도 마찬가지입니다. 마음의 양식인 독서를 균형 있게 해야 마음이 건강해지는 것이며, 편식을 하듯이 자기가 좋아하는 주제와 부류의 책만을 읽게 되면 반드시 영적인 질병을 초래하기 마련입니다.

이단이나 불건전한 기독교 집단들의 공통점이 있습니다. 특정한 진리를 지나치게 강조하면서 다른 진리들을 무시하는 것입니다. 이단들이나 사이비집단들은 성경을 읽더라도 자기들이 좋아하는 특정 부분만을 선호하지, 성경을 전체적으로 균형 있게 읽거나 공부하지 않습니다.

책을 읽는 것도 마찬가지입니다. 그러니까 특정한 진리만을 지나치게 강조함으로써 삶의 엄청난 불균형과 질병을 초래합니다. 따라서, 균형 잡힌 독서의 문제는 상당히 중요합니다.

1) 경건독서와 신학독서의 균형

먼저 신학 서적을 읽는 것과 경건 서적을 읽는 것 사이의 균형을 맞추어야 합니다. 신학 서적만을 읽는 사람은 머리는 활발하게 움직이지만 가슴은 자꾸만 식어지게 됩니다. 자칫하면 신학 공부가 이렇게 될 수 있습니다. 신학교에 들어갈 때는 불덩이가 되어서 들어갔는데 신학교를 졸업할 때는 숯 덩이가 되어 나온다는 말은 바로 이러한 위험성을 경고하는 말입니다. 반대로 신학 서적은 읽지 않고 경건 서적만을 읽는 사람은 가슴은 쉽게 뜨거워질 수 있지만 그 열정은 곧 식어버리거나 엉뚱한 방향으로 변질되기 쉽습니다.

그러므로 신학 서적 읽기와 경건 서적 읽기 사이에 균형이 필요합니다. 독서의 균형을 통해서 지성과 영성의 균형을 끊임없이 유지했던 대표적인 중요한 사례로서 18세기의 조나단 에드워즈와 20세기의 로이드 존스를 들 수 있습니다.

에드워즈는 아주 젊은 시절부터 독서에 있어 균형이 중요함을 깨달았습니다. 그래서 그는 하루나 혹은 반나절 동안 신학 공부를 하면 그 다음 하루나 반나절 동안은 다른 공부를 하는 독서 원칙을 세웠고, 이런 방식을 통해 지식을 추구하는 데 치우치지 않고 균형을 맞추려고 노력했습니다. 우리는 에드워즈의 1725년 11월 16일 일기를 통해서 이러한 면을 보게 됩니다.

> 나의 참된 관심사에 비추어 볼 때 내가 공부하는 데 있어서 할 수 있는 한 비슷하게 다음과 같은 규칙을 지키는 것이 내게 가장 유익이 될 것이라고 생각된다. 즉, 공부할 때 하루의 절반 또는 많아도 하루는 다른 분야의 공부를 하고, 그 다음의 하루의 절반 또는 하루는 신학 공부를 하는 방식으로 공부를 돌아가면서 균형 있게 하도록 하자(백금산, 1999: 252~253).

아마도 로이드 존스도 자기가 좋아하던 조나단 에드워즈의 독서론에서 영향을 받은 듯합니다. 균형 잡힌 독서를 강조하는 로이드 존스 독서론의 한 대목은 다음과 같습니다.

> 균형 있는 독서를 하십시오. 균형이 깨진 독서처럼 거짓된 지식을 낳는 것도 없습니다. 만일 신학 서적만 읽는다면 이러한 위험에 자신을 노출시키고 있는 것입니다. 그러므로 우리는 언제나 균형 있는 식사를 하듯이 독서에서도 균형을 잡아야 합니다. 어떤 사람은 이것이 '무슨 뜻

입니까?' 라고 물을 것입니다. 제가 겸손하게 말씀드린다면 저에게 가장 큰 도움을 주었던 것은 신학 서적과 전기 읽는 것을 서로 균형 있게 한 것이었습니다. 저는 언제나 그렇게 했습니다. 항상 휴일에 그랬고, 매일같이 그렇게 하려고 합니다. 특히 휴일 아침에는 신학 서적을 읽고 밤에는 전기를 읽으려고 노력합니다(로이드 존스, 1990: 54).

2) 고전 읽기과 신간 읽기의 균형

독서의 균형에는 신학 서적과 경건 서적 사이의 균형만이 아니라 고전과 신간 독서간의 균형도 필요합니다.

고전은 좋은 책인 줄을 알고 있는데 잘 읽히지는 않는 책이라는 말이 있습니다. 사람들은 고전이란 전문가들만 읽는 것이지 보통 사람들은 읽어서 이해가 안 되는 책이라고 생각하는 경향이 있습니다.

그러나 고전이란 시간의 테스트를 견뎌낸 책입니다. 오랜 세월 동안 그 책의 중요성과 유익함이 수많은 사람들에게 검증된 책입니다. 따라서 안심하고 읽을 수 있는 책입니다. 비록 오랜 시대 전에 쓰여진 책들이 대부분이지만 반드시 현대에 올수록 책의 내용이 더 좋아진다는 법이 없습니다. 과학과 기술에 대한 지식은 시간이 갈수록 더 발전되는 것이 사실이지만 하나님과 인간과 세계에 대한 이해를 담고 있는 신학 서적이나 철학 서적 혹은 문학 서적은 반드시 우리 시대와 가까울수록 내용이 더 좋다고 하는 것은 '진보사상' 에 대한 잘못된 미신입니다.

서양 철학사는 플라톤의 각주에 불과하다는 말이 있습니다. 이는 기독교 서적에도 적용되는 말입니다. 모든 기독교 신학서와 경건서들은 사실 성경의 각주이기 때문입니다.

대부분의 고전은 인생의 가장 본질적이고 중요한 질문들을 다루고 있기 때문에 시대와 장소를 초월하는 가치를 지니고 있습니다. 고전을 읽지 않고 현대 신간들만 읽게 되면 논의의 초점과 방향을 잃어버리는 수가 많습니다.

C. S. 루이스는 이런 비유를 든 적이 있습니다. 만일 9시부터 시작된 회의에 11시부터 참석한 사람이 있는데, 그 이전에 어떤 토론이 있었는가를 잘 알지 못하고 토론에 임한다면 얼마나 엉뚱한 이야기를 할 가능성이 많겠는가? 마찬가지로 현대의 모든 책들은 사실 그 이전 시대의 고전이라 불리는 책들의 논의의 내용을 이어받아 전개되고 있는 것이 대부분입니다.

우리 시대의 사상과 논점을 제대로 이해하기 위해서도 고전 읽기는 중요한 것입니다. 그래서 C. S. 루이스는 고전 읽기의 중요성을 역설하는 글에서 고전과 신간을 번갈아 읽을 것을 권합니다. 적어도 신간 3권에 고전 1권의 비율 정도로는 고전과 신간 읽기의 균형을 맞추는 것이 중요함을 역설했습니다. 이는 20세기 최대의 지혜로운 독서가의 충고입니다. 고전을 소홀히 하고 최신간만 읽는 사람은 바보라 할 수 있습니다.

그러나 신간을 읽지 말자는 것은 아닙니다. 신간 중에서도 베스트셀러를 읽어야 한다는 사람들이 있습니다. 베스트셀러를 보아야 시대분위기를 알 수 있다는 것입니다. 물론 우리 시대 베스트셀러들은 우리 시대의 영적 성숙도와 분위기를 읽을 수 있는 풍향계 역할을 한다는 면에서 베스트셀러를 읽는 것은 유익한 점이 있을 것입니다. 우리 시대의 정보를 얻기 위해서라면 말입니다.

그러나 몇백 년, 몇천 년의 검증 기간을 거쳐 영적 성숙에 유익하다고 입증된 고전들을 소홀히 한 채 상업주의에 물든 출판사에 의해 과장된 광고로 포장된 일부 유명인들의 최신간만을 본다면, 이것처럼 어리석은 것도 없습니다.

책을 안 읽는 사람일수록 최근에 유행하고 있는 베스트셀러 한 두 권만 보는 경향이 농후합니다. 베스트셀러라는 광고에 현혹되지 말아야 합니다. 베스트셀러가 좋은 책이라는 보장은 없습니다. 물론 베스트셀러 속에는 좋은 책들이 있을 수도 있습니다. 그러나 베스트셀러는 말 그대로 많이 팔린 책이라는 말입니다. 그리고 많이 팔리는 데는 여러 가지 이유가 있을 수 있습니다. 최근 베스트셀러의 가장 중요한 경향은 광고 물량입니다. 아무리 좋은 내용의 책도 광고가 없으면 독자에게 잘 전달되지 않는 것이 현실입니다. 아무리 형편없는 책이라도 과대 광고를 하면 독자들에게 많이 읽히기도 합니다.

독자들이 모두 성숙하고 분별력이 있다면 많이 팔린 책은 그만큼 좋은 책이라는 등식이 성립할 수 있습니다. 그러나 참을 수 없을 정도의 가벼움이 특징인 오늘날의 독서 대중들이 많이 읽는 책은 또 얼마나 가볍겠는가를 고려해 보십시오. 이런 경우 가볍지 않으면 많이 팔리지도 않습니다. 그러므로 가끔씩 신문지상에 베스트셀러 광고만 보고 유행에 뒤지지 않겠다고 그런 책들만을 본다면 그런 목회자나 성도들의 영적 가벼움 또한 얼마나 참을 수 없는 것이겠습니까?

따라서 필자는 자기 성숙을 위한 독서 목록에 지금보다 고전을 더 많이 올려놓으라고 권하고 싶습니다. 고전을 통해 신앙 선배들의 영적 성숙을 보십시오. 그리고 우리 시대의 영적 성숙도와 비교해 보십시오. 그러면 우리는 우리 자신의 모습을 훨씬 더 객관적으로 잘 볼 수 있습니다. 그래서 필자는 고전 읽기와 신간 서적 읽기의 균형 또한 신앙 성숙을 위한 독서의 중요한 한 방편이라고 생각합니다.

3) 신앙서적 독서와 일반서적 독서의 균형

목회자와 성도의 성숙을 위해서는 당연히 신앙서적을 읽어야 합니다. 그러나 일반 역사와 문학과 철학과 같은 일반분야의 책도 기회가 닿는 대로 읽어야 합니다. 인간은 타락한 이후로 지성이 어둡게 되어서, 하나님과 구원에 관한 영적인 지식을 완전히 잃어버렸습니다. 그래서 구원에 대한 지식은 성경이라고 하는 특별계시를 통해서만 알 수 있습니다. 구원을 얻기 위해서는 성경과 성경에 대한 해석서들을 보아야만 합니다.

그러나 이 세상을 살아가는 우리들에게 있어서 일반계시도 무척이나 중요합니다. 하나님께서 구원이라고 하는 특별한 은총은 성도들에게만 주시는 것이지만, 일반은총은 신자나 불신자를 막론하고 모든 인류에게 공통으로 주시는 것입니다. 정치 · 경제 · 사회 · 문화 · 예술 · 건강 · 과학과 같은 분야의 지식들은 일반은총의 영역에 속하는 것들입니다. 하나님께서 악인과 선인에게 햇빛과 비를 골고루 주시듯이 미적인 재능이나, 음악적인 재능이나, 우주만물을 과학적으로 연구하는 지적 재능들은 모두 일반은총의 영역에 속한 것들입니다.

칼빈의 말을 빌자면 하나님을 아는 지식에 관한 한 세상에서 가장 뛰어난 이방 철학자나 두더지나 그 수준이 동일합니다.

그러나 타락한 지성이라 할지라도, 또는 불신자라 할지라도 하나님이 만드신 피조 세계 즉 하늘이나 땅이나 바다나 동물이나 인간의 몸이나 정신이나 사회를 연구하는 데 있어서는 이 분야에 대한 바른 지식을 얻을 수 있습니다. 이러한 지식은 일반은총의 영역 안에서 이루어지는 것이기 때문에 이러한 일반분야의 지식에 관한 한 거듭난 신앙인이라고 해서 불신자보다 반드시 더 뛰어난 지식을 소유한다는 법은 없습니다.

예를 들어서 수학이나 음악이나 미술의 진리를 파악할 때 불신자라고 해서 더 못 할 것도 없고 신자라고 해서 더 잘 안다는 법도 없습니다. 이런 지식은 특별계시가 아니라 일반계시에 속한 영역이므로 신자와 불신자를 막론하고 지성을 가진 모든 인류에게 주어진 연구의 몫인 것입니다.

그러므로 우리는 하나님의 지혜와 능력의 풍성함을 더 충분히 알기 위해서 오히려 기독교 서적만이 아니라 일반서적도 읽어야만 하는 것입니다. 우리는 기회 있는 대로 신앙서적과 더불어 일반서적 읽기를 소홀히 해서는 안 될 것입니다.

중세로부터 신학을 공부하기 이전에 먼저 교양과목을 가르치는 이유가 여기에 있습니다. 문법 · 논리 · 수사학 등을 잘 마스터한 사람이 신학공부도 더 잘 할 수 있는 기초가 놓이는 것입니다.

사실 교회사의 영적 거인들인 어거스틴, 칼빈이나 존 웨슬리, 조나단 에드워즈, 로이드 존스 등은 당대의 일반 교양에 있어서도 아주 뛰어난 지식을 가진 사람들이었습니다. 즉, 일반분야의 책들을 읽는 것을 게을리 하지 않았던 사람들이기도 하다는 것입니다.

교양과 상식을 초월하여 지나치게 특별한 직접계시를 추구하는 사람들은 반드시 영적으로 병들게 됩니다. 물론 그 반대도 마찬가지입니다. 따라서 신앙서적과 일반서적 읽기를 함께 해야 합니다. 물론 신앙서적 독서와 일반서적 독서의 비율은 각자의 형편과 필요에 따라서 각기 달라질 것입니다. 그러나 특별은총의 영역이건 일반은총의 영역이건 모든 진리는 하나님의 진리라는 것을 잊지 말아야 합니다.

제3장

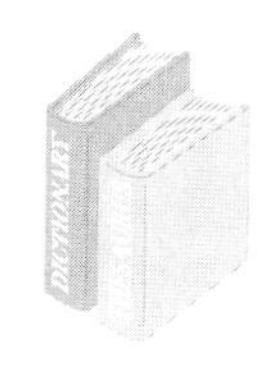

전문지식을 얻기 위한 어떻게 할 것인가?

1. 전문가가 되려면 한 주제에 대해 많은 책을 읽어라
   1) 한 분야의 전문가가 되려면 얼마나 많은 책을 읽어야 하는가?
   2) 한 분야의 많은 책을 읽으려면 어떤 순서로 책을 읽어야 하는가?

2. 지도자가 되려면 다양한 주제에 대해 폭넓은 독서를 하라
   1) 폭넓은 독서로 다방면의 전문가가 된 한 · 미 · 일의 대표적인 만능 지식인들
   2) 폭넓은 독서로 자기 분야의 정상을 이룬 사람들
   3) 폭넓은 독서로 신학을 마스터한 영적 거인들
   4) 평생 독서대학에서 폭넓은 독서를 하는 지도자들

3. 많은 책을 읽기 위해서는 '속독'을 하라
   1) 눈 운동을 통한 속독법
   2) 골라 읽기를 통한 속독법
   3) 문단 읽기를 통한 속독법

제3장
+
전문지식을 얻기 위한
독서법 어떻게 할 것인가?

지식과 정보를 얻기 위한 실용적 독서란 무엇인가?

독서의 중요한 목적 가운데 하나는 독서를 통해 살아가는 데 필요한 실용적인 지식과 정보를 얻는 것입니다. 세상을 살아가는 데는 최소한의 상식이 필요합니다. 또한 직업을 가지고 생계를 유지하며 전문인으로서 사회에 봉사하기 위해서는 자기분야의 전문지식이 필요합니다. 따라서 우리가 생존하고, 생활하기 위해서는 끊임없는 지식과 정보가 필요합니다.

전문적인 직업에 종사하는 사람일수록, 한 분야의 전문가일수록 전문적인 정보와 지식은 더욱 필요합니다. 직업에 필요한 이러한 지식을 얻기 위한 독서는 실용적인 독서입니다.

각종 입학시험과 취업시험 등의 시험공부를 위한 독서나 각종 전문적 사역을 위한 독서는 모두 이 부류에 들어갑니다.

물론, 전문지식과 정보를 얻는 데는 독서를 통해서만 이루어지지 않습니다. 책이라는 활자 매체 이외에도 체험이나 강의나 여러 가지 매스 미디어 매체를 통해서 전문지식을 얻을 수 있습니다. 그러나 전문적인 지식과 정보를 얻는 가장 중요한 통로는 역시 책이 아닐 수가 없습니다.

그렇다면 오늘의 정보화시대에 살면서 정보의 바다 속에 있는 우리들이 필요한 최대한의 정보와 지식을 얻기 위해서는 어떻게 책을 읽는 것이 좋을까요?

1. 전문가가 되려면 한 주제에 대해 많은 책을 읽어라

첫째, 지식과 정보를 얻기 위한 독서에서 가장 중요한 것은 자신이 알고자 하는 주제에 대해 일단 많이 읽어야 한다는 점입니다. 정보를 얻기 위한 독서는 많이 읽으면 읽을수록 좋습니다. 지식을 얻기 위한 독서는 다다익선입니다. 책을 많이 읽으면 읽을수록 더 많은 지식과 정보를 얻게 되는 것은 당연한 것입니다.

어떤 분야이든지 한 권의 책이 그 분야에 대한 모든 지식을 다 담을 수는 없습니다. 한 권의 책 속에 담을 수 있는 분량은 지극히 제한적입니다.

대개, 한 권의 책은 한 주제에 대해 여러 측면의 한 부분만을 다루게 됩니다. 따라서 한 주제에 대해 한 권의 책만 읽으면 한 측면밖에는 보지 못하게 됩니다. 한 주제에 대해 많은 책을 읽어야 그 주제에 대한 넓고 깊은 지식을 얻을 수 있습니다.

1) 한 분야의 전문가가 되려면 얼마나 많은 책을 읽어야 하는가?

그렇다면 한 주제를 통달하려면 어느 정도의 책을 읽어야 하는 것일까요? 여기에는 특별하게 공식적으로 정해진 권수는 없습니다. 그러나 한 주제를 아주 전문적으로 다루려면 학문적인 논문이나 저서 또는 소설이나 논픽션을 막론하고 다음의 몇 가지 예들처럼 수백 권의 참고문헌을 읽어야 한다는 것을 알 수 있습니다.

박사학위 논문을 쓰기 위해 읽는 책의 분량

다양한 분야의 논문들은 일반적으로 한 주제에 대한 가장 깊이 있는 지식을 제공해 줍니다. 많은 논문 중에서도 박사학위 논문은 한 주제에 대한 가장 심도 있는 지식과 정보를 담고 있습니다. 그렇다면 어떤 한 분야의 전문지식인으로서의 책임 있는 자격증 획득을 의미하는 박사학위 논문을 쓰기 위해서는 어느 정도의 책을 읽어야 하는 것일까요?

제가 소장하고 있는 셰필드(Sheffield)출판사에서 발간된 신약신학

분야의 박사학위 논문 중 무작위로 10권의 책을 선정해서 통계를 내보니 논문을 쓰기 위해서 참고한 책은 평균 518권이었습니다. 물론 논문에 따라 편차는 아주 컸습니다. 적게는 182권에서부터 많게는 940권까지 있었습니다. 분명 자연과학분야는 특성상 인문분야와는 다릅니다. 하지만 인문분야의 경우 박사학위 논문을 완성하기까지는 대개 몇백 권의 책은 읽어야만 합니다. 한 분야의 최고 전문 지식인으로서의 박사가 되기 위해 최소한 수백 권의 관련주제에 대한 책을 읽는 것은 기본입니다.

엘빈 토플러가 3부작을 쓰기 위해 읽은 책의 분량

박사학위를 위한 논문만이 아니라 한 전문분야의 탁월한 지식을 담고 있는 책일 경우 역시 참고문헌은 박사학위 논문 못지 않습니다. 적어도 그 분야에서 인정받는 전문지식을 담고 있는 저서의 경우 최소한 수백 권의 관련서적들을 읽는 것은 기본입니다. 예를 들어 이미 사회과학분야에 있어 고전이 된 엘빈 토플러의 「제3의 물결」 같은 책은 어느 정도의 참고문헌을 읽고 쓴 책일까요? 엘빈 토플러 3부작의 경우 참고문헌은 각각 「미래쇼크」가 359권, 「제3의 물결」이 534권, 「권력이동」이 580 권입니다.

이러한 엘빈 토플러의 미래학 3부작 들은 엄청난 자료와 정보를 가지고 1970년대 · 1980년대 · 1990년대에 각각 미래 사회의 방향과 구조에 대한 예측을 한 것입니다. 엘빈 토플러가 예측한 미래의 모습에 대한 찬반의견을 떠나 토플러의 책은 이처럼 많은 참고문헌을 섭렵하고 쓰여진 책이라는 점만은 확실합니다.

토플러의 책만이 아니라 수많은 종교 · 인문 · 사회과학분야의 명저들은 인스턴트 식품처럼 그냥 짧은 시간에 뚝딱 만들어지는 것이 아니라 오랜 시간동안 관련주제에 대한 수백 권의 다른 책들을 읽고 연구한 결과물들입니다.

톨스토이가 대하소설 '전쟁과 평화'를 쓰기 위해 읽은 책의 분량

이것은 소설의 경우에도 마찬가지입니다. 소설이라고 해서 아무런 참고자료도 없이 그냥 머리 속에서 나오는 생각들을 원고지에 옮겨놓으면 소설이 된다고 생각한다면 이것은 큰 오산입니다. 제대로 된 장편소설이나 대하소설을 쓰려면 몇 년에 걸친 자료수집과 몇 년에 걸친 수백 권의 소설 관련 주제를 다루고 있는 책들을 읽어야만 가능한 일입니다.

대표적으로 톨스토이가 그의 대표적인 소설 가운데 하나인 「전쟁과 평화」를 쓰기 위해서 모은 참고자료는 작은 도서관 하나 정도의 분량이었다고 합니다.

모든 소설가들이 이처럼 많은 독서를 하는 것은 아니지만 소설가들도 많은 독서를 통해 지식과 정보를 가지고 있어야 하며, 더 나아가 독서를 통해 나름대로의 사상세계를 구축하고 있어야 함을 알게 됩니다. 소설 한 권을 쓰기 위해서도 논문이나 전문서적을 쓰는 것 못지 않은 많은 독서량이 필요하다는 것을 알 수 있습니다.

책 읽지 않는 게으른 학자나 돈이 없어 책을 제대로 사지 못하는 가

난한 학자에 비해서 자신이 소설을 쓰려고 하는 분야에 대한 책을 많이 사고, 책을 많이 읽는 소설가들 중에 더욱 전문적인 지식과 정보를 가진 사람들이 많을 것입니다.

다치바나 다카시가 논픽션 하나를 쓰기 위해 읽은 책의 분량

많은 독서량이 필요한 것은 비단 학문적인 분야나 소설만이 아니라 논픽션분야의 글을 쓰는 것도 마찬가지입니다. 현재 일본 최고의 저널리스트로 알려진 다치바나 다카시(1940~)의 경우는 이에 대한 좋은 예입니다. 다카시는 한 권의 책을 쓸 때, 즉 한 주제에 대해서 글을 쓸 때 보통 큰 주제는 약 500여 권, 작은 주제는 약 100여 권 정도의 책을 읽는다고 합니다.

> 「뇌연구 최전선」을 예로 들면, 이 글을 쓰기 위해 대략 대형 책꽂이 1개 반 정도의 책을 읽었습니다. 다른 테마의 글을 쓸 때도, 큰 주제라면 대개 이 정도의 책을 읽습니다. 제 작업실에 있는 책꽂이는 한 단에 40권 정도의 책이 들어가는데, 이런 단이 7개 있으니 책꽂이 하나에 약 300권 정도의 책이 들어갑니다. 따라서 책꽂이 1개 반 정도의 분량이라면 테마 하나에 약 500권 정도의 책을 읽고 있는 셈입니다(다치바나 다카시, 2001: 19~20).

> 최근 반 년 정도 '중앙공론'에 「뇌사」를 연재하고 있습니다. 이 글을 쓰기 위해서 구입한 의학서는 금액으로 환산하면 50만 엔을 가볍게 넘

어버리고, 한 권 한 권 쌓아 올리면 높이가 3~4m 정도 될 것입니다. 지금까지 테마가 큰 일을 맡게 되면, 쌓아올렸을 때 보통 높이 3~4m 정도 되는 관련 자료를 읽는 습관을 가져왔습니다. 전에 「농협」이라는 책을 썼을 때도 이 정도의 자료를 읽었으며, 공산당 관련 책을 썼을 때는 그 두 배나 되는 자료를 읽었습니다. 또한 록히드 사건 재판을 추적해 가는 과정에서 읽은 법률 서적도 이에 못지 않은 양이었습니다(다치바나 다카시, 2001: 58).

물론 지금까지 제가 예를 든 것은 전문분야의 지식을 다루기 위한 최고 수준의 다독량에 대한 것이었습니다. 당연히 한 주제에 대해 얼마나 많은 책을 읽어야 하는가 하는 것은 주제를 다루는 목적과 범위에 따라 달라집니다.

최고의 전문적인 논문이나 책을 쓰기 위해서는 관련 분야에 대한 몇백 권의 책을 읽는 것이 필수적이지만 작은 규모의 논문이나 소책자를 쓰기 위해서는 수십 권의 책만 읽어도 충분한 경우가 있습니다.

또한 강의나 저술을 하는 사람이 아닌 평범한 독자로서 특정 분야에 대한 지식을 얻고자 할 때는 굳이 수백 권의 책까지 읽을 필요는 없을 것입니다. 알고 싶은 분야의 책을 한 권만 읽어도 그 분야에 대한 어느 정도의 지식을 얻을 수는 있습니다.

그러나 어떤 분야에 대해서든지 조금 전문적인 지식을 가지고 있다고 할 수 있으려면 한 주제에 대해 최소한 10권 이상의 책은 보아야 할 것입니다.

더욱 전문가가 되려면 더 많은 책을 읽어야 한다는 것은 상식입니다.

2) 한 분야의 많은 책을 읽으려면 어떤 순서로 책을 읽어야 하는가?

이처럼 한 분야 혹은 한 주제에 대해 여러 권의 책을 읽을 때는 책을 읽는 순서가 필요합니다. 아무렇게나 읽어서는 최대의 효과를 거둘 수가 없습니다. 하나의 주제에 대한 전문지식을 얻기 위해 다독을 하려고 할 때 일반적인 원칙은 '먼저 숲을 보고 그 다음에 나무를 보아'야 한다는 것입니다. 한 주제에 대해 넓고 깊은 지식을 얻기 위해서는 전체도 알아야 하고, 부분도 알아야 합니다. 그러나 먼저 전체적인 것을 보고 그 다음 부분적인 내용을 공부하는 것이 좋습니다.

한 주제에 대해 새롭게 공부를 시작할 때, 일반적으로 다음과 같은 순서로 책을 읽으면 크게 도움이 될 것입니다. 이것은 다치바나가 독학할 때 사용한 방법이기도 합니다.

첫째, 입문서를 읽어라

한 주제를 접근하는 가장 좋은 방법은 그 주제에 대한 개론서 내지 입문서를 읽는 것입니다. 입문서에도 보통 두 종류의 입문서가 있습니다. 하나는 본격적인 전문가들을 위한 교과서적인 입문서이고, 다른 하나는 일반 대중들을 위한 입문서입니다.

입문서는 말 그대로 그 주제에 대한 소개를 하며 전체적인 그림을 그려 주는 책입니다. 숲을 보고 나무를 보라는 말이 있듯이 개론서 내지

입문서는 그 주제에 대한 숲을 보여 줍니다. 주제에 대한 흥미를 유발시켜 주며, 그 주제에 대한 전체적인 논의의 대상이 무엇인지를 보여 줍니다.

그러나 중요한 점은 개론서나 입문서를 한 권만 보지 말고 여러 권을 보라는 것입니다. 그냥 여러 권이 아니라 관점을 달리해서 쓰여진 입문서를 보는 것이 좋습니다.

둘째, 연구사를 읽어라

어느 분야이든지 그 분야의 연구사를 읽는 것은 연구주제에 대한 접근에 있어서 아주 중요합니다. 연구사를 읽게 되면 그 분야의 핵심이 무엇인지를 금방 파악할 수 있습니다. 그 분야의 쟁점대상이 무엇이며, 또한 연구대상을 어떤 연구방법으로 연구해 왔는지를 금방 알 수 있습니다.

즉, 연구사는 우리로 하여금 무엇을 공부해야 할지 그리고 어떻게 공부해야 할지를 가장 잘 보여 줍니다. 따라서 어떤 분야든지 공부를 할 때 그 분야의 연구사에 대한 공부를 시작하는 것은 기본입니다.

셋째, 관련주제의 전문 서적을 많이 읽어라

이제 본격적으로 필요한 분야의 각 론에 해당되는 책들을 읽기 시작합니다. 하나의 주제를 심도 있게 연구한 책들을 중심으로, 연구하는 대상에 대한 이해를 넓혀가도록 합니다. 이것은 하나 하나의 나무에 달려있는 열매를 따먹는 것과 같습니다.

하나의 주제를 상세하게 연구한 책을 읽기 전에는 한 분야에 대한 전문가는 결코 될 수 없습니다. 한 주제에 대한 깊이 있는 각 론에 대한 책을 읽을 때, 전문지식은 차곡차곡 쌓여가기 시작합니다.

그러나 처음부터 개론서나 연구에 대한 역사서를 읽기 전에 너무 전문적인 영역에 뛰어들게 되면 밀림 속에서 길을 잃어버리는 것처럼 될 수 있습니다.

유교 경전 공부 순서를 제시한 율곡과 다산

대단히 흥미로운 것은 유학자들이 유교의 경전들을 읽을 때도 무조건 아무 책이나 되는 대로 공부하지 않고, 효과적으로 유교 경전들을 마스터하기 위한 순서를 논했다는 점입니다. 유교 경전은 분류하는 사람에 따라 때로는 사서삼경(논어 · 맹자 · 중용 · 대학 · 시경 · 서경 · 역경) 이나 사서오경(예기 · 춘추 추가) 또는 13경(삼경:역경 · 서경 · 시경; 삼례:의례 · 주례 · 예기; 삼전: 춘추 좌씨전 · 춘추 공양전 · 춘추 곡량전; 기타: 논어 · 효경 · 이아 · 맹자) 등으로 분류됩니다. 율곡 이이는 이러한 유교 경전을 공부하는 순서를 다음과 같이 제안했습니다.

먼저, 「소학」을 읽어 부모를 섬기는 일에서부터 시작하여 형을 공경하는 것, 임금을 충성으로 섬기는 것, 어른을 공경하는 것, 스승을 높이 받드는 것, 친구와 친하는 도리 등을 일일이 배워서 힘써 행한다.

둘째, 「대학」을 읽어 이치를 궁리하고 마음을 바르게 하고, 자기 몸을 닦고, 사람을 다스리는 도리 등을 일일이 참되게 알아서 이를 실천한다.

셋째, 「논어」를 읽어 어진 것을 구하여 자기 몸을 위하는 것과 근본 된 성품을 길러나가는 공을 일일이 정밀하게 생각해서 깊이 그것을 체험한다.

넷째, 「맹자」를 읽어 의리와 이익을 분별하고, 사람의 욕심을 막고, 하늘의 이치에 관한 학설을 일일이 밝게 살려 이를 확대하여 마음속에 가득 채워 나간다.

다섯째, 「중용」을 읽어 성정의 덕과 옳은 길로 미루어 나가는 공과 만물이 육성되는 묘한 이치를 일일이 알아서 여기서 얻는 것이 있게 한다.

여섯째, 「시경」을 읽어서 성정의 간사하고 바른 것과 착한 것을 권장하고 악한 것을 경계하는 일들을 일일이 조용히 해석해서 마음속에 저절로 감동되어 이로써 행동에 옮겨 나간다.

일곱째, 「예경」을 읽어서 하늘 이치의 규정된 글과 행하는 규칙의 법도를 일일이 강구해서 마음속에 세운다.

여덟째, 「서경」을 읽어 이제와 삼왕이 천하를 다스린 그 원리 원칙을 일일이 터득하여 그 근본을 거슬러 생각한다.

아홉째, 「역경」을 읽어서 사람의 길흉 · 존망 · 진퇴 · 소장의 기미를 일일이 보아서 궁리하고 연구한다.

마지막으로 「춘추」를 읽어서 성인들이 착한 이를 상주고 악한 이를 벌한 것이며, 잘못하는 일을 억제하고 잘 하는 일을 드날려 준 것과 모든 일을 조종하는 그 자세한 말과 깊은 뜻들을 일일이 정밀하게 연구해서 크게 깨닫는다.

이렇게 오서와 오경을 골고루 자세히 읽어서 그 사리를 깨달아 알아서 의리가 날로 더욱 밝아지게 해야 한다. 그렇게 한 뒤에 다시 송나라 선배들이 저술한 글 즉 「근사록」·「가례」·「심경」·「이정전서」·「주자대전」·「어류」등의 글과 또 그 밖의 다른 성리의 학설도 마땅히 간간이 정밀하게 읽어 의리가 항상 내 마음속에 침투되어 와서 한 시간도 끊어짐이 없도록 해야 한다.

이렇게 한 연후에 남는 힘이 있으면 또한 역사서를 읽어서 고금의 역사에 통하고 일의 변하는 이치에 통달해서 자기의 식견을 길러 나가야 한다. 그러나 만일 이단으로서 잡되고 바르지 못한 글은 잠깐 사이라도 이것을 보아서는 안 된다(이이, 1998: 61~62).

조선후기 실학의 집대성자이며 '한자가 생긴 이래 가장 많은 저술을 남긴 대학자'로 불리는 다산 정약용이 40세부터 58세까지 강진에서 유배 생활을 하면서 집에 있는 두 아들에게 보내는 편지에서 유교 경전 독서의 순서에 대해 이렇게 말합니다.

반드시 처음에는 경학 공부를 하여 밑바탕을 다진 후에 옛날의 역사책을 섭렵하여 옛 정치의 득실과 잘 다스려진 이유와 어지러웠던 이유 등의 근원을 캐 볼 뿐 아니라 또 모름지기 실용의 학문, 즉 실학에 마음을 두고 옛 사람들이 나라를 다스리고 세상을 구했던 글들을 즐겨 읽도록 해야 한다(정약용, 1991: 40).

또한 제자 이인영에게 보낸 편지에서는 이렇게 말하고 있습니다.

중화한 덕으로 마음을 기르고 효우의 행실로 성을 닦아 공경으로 그것을 지니고 성실로 일관하되 이를 변하지 않아야 하네. 이렇게 힘쓰고 힘써 도를 원하면서 사서로 나의 몸을 채우고 육경으로 나의 지식을 넓히고, 여러 가지 역사서로 고금의 변천에 달통하여 예악형정의 도구와 전장법도의 전고를 가슴 속 가득히 쌓아놓아야 하네. ……(중략)…… 반드시 경전을 근본으로 삼고 여러 가지 역사서와 제자백가를 보조로 삼아 혼후하고 충융한 기운을 쌓고 깊숙하고 영원하고 도타운 아취를 길러야 하네. 그리하여 위로는 왕의 정책을 빛낼 것을 생각하고 아래로는 한 세상을 주름잡을 것을 생각한 뒤에야 바야흐로 범상치 않은 문장을 이루었다고 할 수 있네(정약용, 1991: 293~294).

이외에도 다산의 편지 가운데는 이런 독서의 순서를 논하는 글들이 여러 편 더 있는데 이러한 여러 가지 편지의 내용들을 종합해 보면 정약용이 제시하는 독서의 순서는 대략 다음과 같은 것이 됩니다. 가장 먼저 필독서로 유교 경전(사서오경)을 읽고, 그런 다음 역사서를 폭넓게 읽은 다음 마지막으로 실용적인 책들을 읽으라는 것입니다. 현대식으로 말하자면 먼저 문 · 사 · 철의 인문학을 공부하고, 다음 사회과학 책들을 읽고, 그 다음 실용적인 자연과학 책들을 읽으라는 것입니다.

성경 읽기의 순서는 어떻게 하면 좋은가?

성경의 전체적인 내용파악을 위해서는 성경 전체를 1권으로 보고 성경을 통독하는 것이 좋습니다. 기본적으로 1년에 1번 이상은 성경 전체를 통독하는 것이 좋습니다. 저는 이러한 방법을 「성경, 이렇게 읽읍시다」에서 자세히 설명한 바 있습니다.

그러나 성경의 내용을 깊이 있게 이해하기 위해서는 1년에 성경 전체를 1번 통독하는 수준으로는 안 됩니다. 성경이 내 피와 살이 되도록 하기 위해서는 66권 중의 한 권, 한 권을 체계적으로 공부해 나가야 합니다.

그러나 성경은 66권으로 된 하나의 작은 도서관과 같습니다. 성경 66권은 크게 구약 39권과 신약 27권으로 나누어집니다. 또한 구약 39권은 크게 율법서(5) · 역사서(12) · 시가서(5) · 예언서(17)로 나누어지고, 신약 27권은 복음서(4) · 사도행전(1) · 서신서(21) · 예언서(1)로 구분할 수 있습니다. 이러한 성경 66권을 읽고 공부할 때 어떤 순서로 공부하면 좋을까요?

성경을 공부하는 순서는 다음과 같은 3가지의 방식으로 할 수 있습니다.

첫째는 성경이 배열된 순서에 따라 앞에서부터 차례로 한 권씩 공부하는 방법이 있습니다. 구약을 먼저 공부하고, 신약을 공부하는 것입니다. 또한 구약 중에서도 모세오경을 먼저 공부하고 그 다음, 역사서를 공부하고 그 다음, 시가서를 공부하며, 마지막으로 예언서를 공부하는 순서로 합니다. 그 다음, 신약을 공부합니다. 먼저 복음서를 공부하고, 사도행전을 공부하고 그 다음, 서신서를 공부하고, 마지막으로 계시록을 공부하는 순서로 할 수 있습니다.

이와 같은 성경의 배열은 문학적인 장르의 단위이기도 하지만 어느 정도는 하나님의 계시의 진전에 따른 것이기도 합니다. 즉 과거에서 현재를 거쳐 미래의 순서로 계시의 진전을 공부하는 것입니다. 이것은 마치 건축물을 기초에서부터 골조를 거쳐 지붕까지 이르는 순서대로 차근차근히 살펴보는 것과 같습니다.

둘째는 이 순서를 거꾸로 하는 것입니다. 구약성경을 제대로 이해하기 위해서는 복음서를 알아야 합니다. 구약성경이 결국 지향하는 목표점은 메시아인 예수 그리스도의 오심과 관련된 것입니다. 따라서 예수님이 이 세상에 오셔서 하신 사역과 말씀을 알면 구약성경을 이해할 수 있는 열쇠를 얻는 것과 마찬가지입니다.

복음서에 기록된 예수님을 먼저 공부하고 복음서의 관점에서 구약을 읽게 되면 구약의 큰 핵심과 줄기가 보이게 됩니다. 이것은 먼저 실물을 보고 그 다음에 조감도를 보는 것과 마찬가지입니다. 구약의 핵심적인 율법과 역사와 모형과 예언이 예수 그리스도에게서 성취된 것을 보게 됩니다. 그리고 이 성취된 모습을 보고 구약을 추적해 들어가면 모세 율법의 의미도, 이스라엘 역사의 큰 인물들이나 사건들이나 제도들이 모두 예수 그리스도의 인격과 사역과 긴밀한 관련을 맺고 있다는 사실을 손쉽게 알 수 있습니다. 복음서에 담긴 예수님을 알지 못하고 구약만을 읽게 되면 여전히 수건을 쓴 것처럼 구약의 많은 의미들이 밝혀지지 않은 채 남게 됩니다.

또한 복음서를 읽기 전에 바울의 서신서를 먼저 공부하는 것도 도움이 됩니다. 복음서에 기록된 예수님의 성육신 · 죽으심 · 부활 · 승천 등의 의미는 복음서 자체에는 나타나 있지 않습니다. 복음서는 예수님의 삶 속에 일어난 사건만을 기록하고 있습니다. 따라서 예수님의 공생애에 일어난 이러한 구속사건이 과연 무엇을 의미하는지는 복음서만 읽어서는 제대로 알지 못하는 수가 많습니다. 이는 마치 외국영화를 보는데 자막 없이 그림만 보는 것과 비슷합니다.

그런데 바울의 여러 서신을 비롯한 신약의 서신서들은 바로 복음서에 나타난 예수님의 인격과 사역을 이해하는 자막과 같은 역할을 해 줍니다. 왜 예수님께서 성육신 하셨는지, 왜 예수님께서 율법에 순종하셨는지, 왜 예수님께서 십자가에 죽으셨는지, 왜 예수님께서 부활하시고 승천하셨는지에 대한 의미가 서신서에 설명되어 있습니다.

따라서 서신서는 복음서라고 하는 화면을 설명해 주는 자막과 같습니다. 그러므로 신약성경의 서신서를 깊이 공부하고 복음서를 보게 되면 복음서의 많은 사건들을 더 깊게 이해할 수 있습니다. 이처럼 성경을 공부할 때, 성경이 기록된 순서와는 반대로 계시가 완성된 상태에서부터 거꾸로 성경을 읽어 가면 성경 전체의 의미가 더 잘 이해될 수도 있습니다.

셋째로, 성경을 앞에서부터 차례로 공부해 간다든지, 성경을 뒤에서부터 차례로 앞으로 공부해 간다는 것은 대단히 어려운 일입니다. 그래서 성경을 중요도 순서대로 공부하는 방법을 사용할 수도 있습니다.

무엇보다 성경은 66권으로 구성되어 있는 방대한 책이기 때문에 66권을 모두 분석적으로 공부해야 하지만 상대적으로 66권 가운데서도 우리가 먼저 공부할 필요가 있는 책들이 있습니다.

우리 인간의 몸이 유기체적으로 구성되어 있기 때문에 어느 한 부분 중요하지 않은 부분이 없지만 그래도 두뇌와 심장 같은 기관은 다른 기관에 비해서 특별히 더욱 중요하다는 것을 우리는 알고 있습니다.

마찬가지로 성경 66권 전체가 하나님의 구원계시를 구성하고 있기 때문에 모두 다 중요하지만 이 중에서도 특별히 계시 이해에 더 도움이 되는 책들이 있습니다. 제가 생각할 때 구약 중에서 창세기 · 출애굽기 · 시편 · 이사야, 신약 중에서 복음서 · 사도행전 · 로마서 · 요한계시록 등과 같은 성경책들은 하나님의 계시를 이해하는 데 있어서 상대적으로 다른 성경보다 더욱 비중이 있는 책들입니다.

성경연구의 출입문: 로마서

그렇다면 66권 전체에서 상대적으로 중요한 이러한 몇 권의 성경책 중에서도 무엇부터 먼저 공부하면 좋을까요?

이에 대한 견해는 사람마다 차이가 있을 수 있지만 제 개인적으로는 복음서 중의 한 권이나 로마서 공부를 권하고 싶습니다. 이 둘 중의 하나를 고르라면 로마서를 추천하고 싶습니다. 로마서 공부를 통해 우선 복음이 무엇인지, 구원이 무엇인지를 철저히 공부하고 다른 성경책을 공부하는 것이 가장 좋은 성경공부의 비결이라 생각합니다.

초대교회 때의 어거스틴, 종교개혁기의 루터, 18세기 대각성운동기의 요한 웨슬리, 또한 20세기의 신정통주의 운동의 기수가 된 칼 바르트 등 교회사의 중요한 전환점이 이루어진 시기마다 어김없이 로마서의 진리를 새롭게 깨달은 사람들로부터 시작되었다는 것은 이러한 주장을 뒷받침 해 주는 중요한 증거가 됩니다.

성경을 연구한 2차 문헌들을 어떻게 읽어야 하는가?

이제 성경이 아니라 성경에 관해서 쓰여진 수많은 성경연구에 대한 2차 문헌을 읽을 때는 어떻게 하는 것이 좋을까요? 먼저 성경에 대한 입문서를 읽는 것이 좋습니다. 이러한 성경에 대한 입문서로서는 대중적으로 쉽게 쓰여진 입문서들이 있습니다. 그런 다음 본격적인 개론서 공부를 시작합니다. 먼저, 구약개론과 신약개론에 대한 여러 종류의 책을 사서 봅니다.

다음으로 성경해석의 역사 또는 교리의 역사를 공부하는 것이 좋습니다. 성경이 어떤 방식으로 지금까지 연구되어 왔는지, 그리고 성경의 중요 교리에 대해서는 시대를 거쳐오면서 어떤 논쟁을 벌여왔는지를 보면 성경의 주요 내용들이 무엇인지를 쉽게 파악할 수 있습니다.

다음으로 성경 전체 내용의 가장 핵심적인 주제별 공부인 조직신학 공부와 성경 전체의 내용을 시대별로 공부하는 성경신학을 공부합니다.

그리고 마지막으로 성경을 한 권씩 공부하는 것입니다. 예를 들어 성경 66권 중의 한 권인 창세기라는 성경을 연구할 때, 창세기에 쓰여진 모든 구할 수 있는 주석들 또는 권위 있고 도움이 된다고 추천되는 주석서들을 모두 보는 것이 좋습니다. 적어도 10권 이상, 많으면 수십 권, 수백 권의 주석과 강해서를 읽게 되면 창세기를 아주 잘 이해할 수 있습니다.

지금 이렇게 개략적으로 말하는 것은 적어도 성경 전체를 이해할 때, 어떤 과정을 거쳐서 성경과 관련된 책을 읽어 가는 것이 좋은가에 대한 힌트 정도입니다. 이 부분만을 상술해도 한 권의 책이 될 것입니다. 제가 지금 말하고자 하는 요점은 성경에 대한 공부를 할 때, 산발적으로 이것저것을 닥치는 대로 읽지 말라는 것입니다. 먼저 성경 전체를 보고 난 후 성경의 상세한 부분을 공부하는 방식으로 독서를 하는 것이 효과적이라는 것을 말씀드리는 것입니다.

이것은 성경공부 전체에 대한 것만이 아니라 성경신학 · 조직신학 · 교회사 등의 개별적인 분과를 공부할 때도 마찬가지며, 인간론 · 기도 · 부흥 등의 개별 주제를 연구할 때도 마찬가지 원리가 적용됩니다.

오늘날 신학교 공부의 문제점

이러한 체계적인 독서의 순서라는 측면에서 오늘날 신학교 공부의 문제점을 생각해 볼 수 있습니다. 현재 신학교에서는 이러한 공부 중의 일부 혹은 전부를 약간씩 공부합니다. 교파를 막론하고 목회자를 양성하기 위한 신학대학원과정에서는 대개 구약신학 · 신약신학 · 조직신학 · 교회사 · 실천신학 · 선교신학의 6개 주요 신학분과를 커리큘럼에 포함시킵니다. 이러한 내용을 신학대학원 3년의 기간 동안 모두 공부합니다. 이러한 공부들은 모두 필요하다고 판단되기 때문에 커리큘럼에 도입된 것입니다. 사실 이러한 여러 과목 가운데 하나도 버릴 것은 없습니다. 모두 알면 도움이 되는 내용들입니다.

그러나 문제는 이러한 과목들을 공부하는 방법에 있습니다. 현재 거의 모든 신학대학원에서 이러한 여러 과목들을 너무 중구난방 식으로 공부합니다. 즉 1학년 1학기에 구약 서론 · 신약 서론 · 조직신학 서론 · 초대교회사 · 실천신학 서론 · 선교학 개론을 공부하고, 나머지 학기에도 이런 식으로 6개 신학 주요 분과에서 조금씩, 조금씩 함께 공부해 나갑니다.

물론 한 과목당 여러 권의 추천서들을 소개받고, 미쳐 다 읽을 시간도 없이 리포트 쓰고 시험보기 바쁘게 한 학기가 끝납니다. 한 학기에 최소한 6~8개의 과목들이 머리 속에 채 정리되지도 않은 채 뒤죽박죽으로 들어있게 됩니다. 한 학기 동안 배운 것을 제대로 소화할 시간도 부족할 뿐 아니라 제대로 소화하는 사람도 드뭅니다.

이렇게 3년 6학기를 보내면 배운 내용도 많고, 들은 지식도 많지만 지극히 피상적인 수준에서 정리되지 않은 채 머리 속이 혼란스럽기만 하다는 것이 대다수의 신학교 졸업생들의 현실입니다. 물론, 신학대학원 3년의 교육만으로 그 동안 신학교에서 배운 모든 지식이 머리 속에 차곡차곡 정리되어 있는 사람들도 있을 것입니다. 그러나 제가 만나본 수많은 신학생들 그리고 대부분의 목회자들의 경우에는 신학교 3 년간의 과정동안 배운 내용이 머리 속에 명쾌하게 정리되어 있는 분들이 지극히 적었습니다. 이것은 머리가 나빠서가 아닙니다. 교육방식 · 공부방식에 문제가 있는 것입니다.

새롭게 제안하는 신학교 공부방식

오히려, 저는 지금의 신학교에서 다음과 같이 가르치고 배운다면 훨씬 더 효과적일 것이라고 생각합니다. 1학년 1학기에는 교회사만 배웁니다. 초대교회사부터 현대교회사까지 완전히 6 개월 동안은 교회사만 배우는 것입니다. 적어도 수업만이 아니라 중요한 교회사의 교과서와 참고서를 모두 학기 중 3 개월과 방학 중 3 개월 동안 읽습니다. 그 다음 1학년 2학기에는 조직신학만 배웁니다. 신학 서론부터 종말론까지 한학기동안 동시에 다 배우는 것입니다. 그래서 완전히 조직신학의 개념들을 전체적으로 머리 속에 정리합니다. 그 다음 2학년 1학기에는 구약신학과 관련된 내용만 배웁니다. 한 학기 동안 완전히 구약성경만 읽고, 구약공부만 하는 것입니다. 그리고 2학년 2학기에는 신약신학만 배웁니다. 그리고 3학년 1학기에는 실천신학 과목만 배우고, 3학년 2학기에는 선교신학 관련 과목들만 배웁니다.

만일, 신학교가 지금의 과목과 교수들을 그대로 유지하면서도 신학 6개 분야의 공부를 하는 순서를 이렇게 계통적이며 단계적으로 공부한다면 지금의 신학교육보다는 훨씬 더 좋아질 것이라 확신합니다.

그러나 제도는 하루아침에 그렇게 쉽게 바뀌는 것이 아닙니다. 현실적으로 제가 제안한 방식으로 공부하기 어려운 학교 행정상의 사정이 있을지도 모릅니다. 그렇다고 해서 개인이 현 상태로 신학공부를 하고 그 다음 바쁘게 목회현장에 뛰어드는 것은 참으로 문제가 있습니다. 신학교에서 안 되면 신학교를 졸업한 이후 개인적으로라도 계통적으로 공부할 필요가 있습니다. 이미 신학교에서 공부한 내용을 자기 혼자서 제가 제안한 방식으로 몇 년에 걸쳐 다시 정리하는 것입니다.

2. 지도자가 되려면 다양한 주제에 대해 폭넓은 독서를 하라

유기적이고 총체적인 지식의 네트워크

우리가 살아가고 있는 세계는 모든 것이 유기적으로 통합되어 있습니다. 다양하게 존재하는 모든 세계가 통일되어 있는 이유는 창조주 하나님 때문입니다. 창조주 하나님께서 우주와 인간을 하나님의 계획과 목적 하에서 창조하셨기 때문에 우주와 인간은 하나님 안에서 목적과 의미와 통일성을 가지고 있습니다. 따라서 지금 존재하고 있는 창조주 하나님과 피조물인 우주와 인간은 상호 긴밀한 관계를 맺고 있습니다. 그러므로 우리 인간의 모든 지식은 결국 창조주 하나님에 대한 지식과 피조물인 인간과 우주에 대한 지식으로 요약됩니다.

하나님에 대한 지식을 얻기 위해서는 하나님께서 자신을 특별하게 계시하신 성경을 알아야 하고, 성경을 연구하는 신학을 공부해야 합니다.

하나님과의 관계 속에서의 인간의 본질은 성경과 신학을 연구하면 되지만 기타 인간이 가지고 있는 여러 가지 인간성에 대한 모습은 종교학 · 철학 · 역사 · 언어학 · 심리학 · 문화인류학 · 고고학 등의 인문학 분야와 문학 · 음악 · 미술 · 건축 · 영화 · 사진 등의 문화예술 분야의 공부를 통해서 더 구체적으로 알 수 있습니다.

또한 인간과 인간의 상호 관계를 다루는 정치학 · 경제학 · 법학 · 교육학 · 통계학 · 경영학 등의 사회과학 분야를 통해 인간의 모습을 더 잘 알 수 있습니다.

그리고 하나님께서 만드신 우주 만물에 대한 지식은 물리학 · 생물학 · 화학 · 수학 · 의학 · 공학 · 지리학 등의 자연과학 공부를 통해서 더 풍성하게 알 수 있습니다.

단지, 인간이 타락함으로써 그 지성이 어둡게 되었기 때문에 인문학과 사회과학과 자연과학에서 연구되어진 내용이 완전한 진리는 아닙니다. 잘못된 비진리도 많이 있습니다. 그러나 하나님께서는 하나님과 구원에 대한 지식이 아닌 피조물에 대한 연구를 할 수 있는 일반은혜를 아직도 타락한 불신자들에게 허용하셨습니다. 그래서 이러한 여러 학문 분야에서 연구되어진 많은 내용들 안에는 자연과 인간에 대한 참된 지식이 많이 있습니다. 모든 진리는 결국 진리의 하나님께로부터 나오는 것입니다.

따라서, 우리 인간이 알고자 하는 모든 지식은 결국 하나님에 대한 지식, 인간에 대한 지식, 우주 만물에 대한 지식이라고 하는 가장 근본적인 공통분야로 요약됩니다. 세상의 모든 지식은 결국 이 3가지에 대한 지식의 거대한 네트워크입니다. 우리가 알고 있는 세부적인 전문 지식은 이러한 창조주 하나님과 피조물인 우주와 인간에 대한 지식의 한 분야입니다. 이러한 지식들은 결코 독립적으로 떨어져 있지 않습니다. 이 모든 지식은 상호 여러 겹으로 총체적 · 유기적으로 연결되어 있습니다.

따라서, 우리가 이 세상을 살아가는 데는 단순히 자기 전공 혹은 직업분야의 전문지식만 가지면 되는 것이 아닙니다. 어느 분야든지 지도자가 된다는 것은 한 가지 전문분야 이상의 하나님과 세계와 인간에 대한 통합적이며 유기적인 바른 지식이 필요합니다. 이러한 세계와 인간에 대한 통합적인 지식을 얻기 위해서는 한 주제만이 아닌, 한 분야만이 아닌 총체적이고 통합적인 폭넓은 지식이 요구됩니다. 하나님과 인간과 자연에 대한 폭넓은 지식을 얻을 수 있는 방법은 결국 다양한 주제에 대한 폭넓은 독서 외에는 없습니다.

1) 폭넓은 독서로 다방면의 전문가가 된 한 · 일 · 미의 대표적인 만능 지식인들

한국의 소설가 정을병

한국의 대표적인 소설가 정을병은 다양한 주제에 대한 폭넓은 독서를 통해 전문분야인 소설만이 아니라 많은 분야에 대한 전문가이기도 합니다.

정을병은 최근 「독서 이노베이션」이라는 책을 통해 자신의 독서 경험담을 이야기하면서 자신이 문단에 나온 지 약 40여 년만에 68권의 저서를 씀으로써 신문학이 나온 이래 가장 많은 저서를 낸 사람이라고 자부합니다. 자신의 전공이요, 직업이라고 할 수 있는 소설분야의 경우에서도 수십 권의 소설을 썼지만 기타 다른 분야에도 전문가적인 지식으로 여러 권의 전문 서적을 썼다고 말하고 있습니다. 스스로 분재와 난초에도 전문가요, 명상에 대해서도 전문가요, 의학에 대해서도 전문가요, 한글 기계화에 대해서도 전문가로 자처하고 있습니다. 이러한 분야에 대한 전문 서적을 써서 이러한 분야에서 각기 수상한 경력이 있으니 그가 전문가로서 자처한다고 해도 크게 과장되지는 않을 것입니다.

어떻게 소설가 정을병이 자신의 소설분야만이 아닌 특별한 전문분야에서도 전문지식을 가질 수가 있게 되었을까요? 그것은 전문가 못지 않게 그 분야에 대한 독서를 했기 때문입니다.

정을병은 어떤 분야에 대해 처음으로 호기심과 관심을 가지게 되면 그 분야에 대한 책을 몇십 권, 몇백 권이든지 국내에서 발간된 모든 책을 사서 읽는다고 합니다. 물론 자신의 외국어 실력이 해당되는 데까지 관련된 외국서적도 사서 읽습니다. 관련된 주제를 알고 싶고 또한 좋아서 자꾸만 관련된 주제에 대한 책들을 많이 읽다보니 그 분야의 지식과 정보가 쌓여가게 되고, 어느덧 자신도 모르게 그 분야의 전문가가 되더라고 이야기합니다.

> 독서는 우선 재미있어서 하는 것이지만, 독서를 많이 하다보면 자연히 사람이 달라지게 마련이다. 먼저 자기의 취미에 맞는 분야를 중점적으로 읽다보면 그 쪽에서 많은 정보와 지식을 얻게 되고, 그러다 보면 자기도 모르는 사이에 그 분야의 전문가가 되어 버린다(정을병, 2002: 121~122).

정을병은 자신이 이러한 독서를 통해서 어떻게 여러 분야의 전문지식을 가지게 되었는지를 이렇게 말합니다. 한 사람이 여러 분야의 전문지식을 가지게 될 때, 어떤 과정을 거쳐서 그렇게 되는지를 잘 보여 주기 때문에 정을병의 말을 조금 길게 인용하겠습니다.

나는 어떤 문제에 관심을 가지게 되면, 그것에 필요한 수십 권의 책을 사방으로 돌아다니면서 구해 가지고 와서 읽는다. 이때의 즐거움은 이루 말할 수 없는 것이다.

내가 문단에 처음 나올 무렵에는 희랍철학과 역사, 문화, 그리고 신화에 완전히 빠져있었다. 그래서 그에 필요한 책은 구할 수 있는 한 다 구해서 읽었다. ……

나는 한동안 의료계 신문에 종사했다. 물론 밥을 먹기 위한 방편이었지만 나는 이왕 이런 곳에서 일할 바에야 의과대학을 하나쯤 다니는 셈치기로 하고 의학이나 약학을 열심히 공부했다. 나는 물론 단 한 시간도 의과대학 강의실에서 수업을 받아 본 적은 없지만, 의사 못지 않은 의학 지식을 가지고 있다고 자부한다. ……

그 뒤에 나는 가족 계획 사업에 뛰어 들었고, 그것에 필요한 여러 가지 책들을 구해 읽어서 그 세계에서는 완전히 전문가가 되었다. ……

그 이후 나는 한글타자기 전문가인 공병우 박사를 만나게 되어 한글타자기에 빠져 들어갔다. 그래서 한글의 역사와 한글의 기계화에 대해서 많은 서적을 탐독하게 되었다. 마침내 문장용 타자기라는 것을 만들어내었다. ……

나는 생리적으로 식물을 대단히 좋아한다. 그래서 식물에 관한 책이면 무엇이나 읽어 치웠다. ……그래서 난초 책을 낸 다음에 나는 난을 좋아하는 친구들을 규합해서 한국자생란보존회라는 것을 만들어 오늘에 이르고 있다. ……

> 근년에 와서는 명상에 관심을 가지기 시작했다. 그것도 일부러 그렇게 한 것이 아니고, 우연히 집에 꽂혀 있는 명상에 관한 책을 읽기 시작했다가 완전히 매료되어 그 분야의 책을 미친 듯이 읽어나가기 시작했다. 수백 권을 읽었다. 국내에 나온 명상 관계의 책은 거의 한 권도 빠지지 않고 읽었다. 그런데도 무언가 명상에 대해서 확실한 해석이 없는 것 같아서 내가 주제 넘는 일이기는 하지만, 직접 명상에 관한 책을 한 권 썼다.
>
> 이런 몇 권의 비소설 에세이를 포함해서 나는 68권의 책을 썼다. 한국 작가로서는 최고의 저작기록이다(정을병, 2002: 231~235).

이렇게 하여 지금까지 정을병은 약 3만 권의 책을 읽었다고 합니다. 정씨의 경우 일주일에 2~3번씩 서점에 가서 한 번에 2~3권 정도의 책을 사서, 한 주에 3~4권 정도의 책을 읽고, 한 달에 15권 정도의 책을 꾸준히 읽는다고 합니다. 이런 생활을 수십 년간 반복하면서 자신의 전공분야인 소설분야와 다른 자신의 관심 있는 여러 분야의 전문지식인으로서 활동할 수 있었다고 말합니다.

일본의 저널리스트 다치바나 다카시

최근 '지의 거장'으로 불리며 한국 독서계에 상당한 반향을 불러일으키고 있는 일본의 저널리스트 다치바나 다카시의 경우에는 다양한 주제에 대한 폭넓은 독서를 통한 '르네상스형의 만능지식인'의 대표적인 경우입니다.

지금까지 약 40여 권의 저서를 낸 바 있는 다치바나의 경우는 하나의 전공분야와 관련된 40여 권의 책들이 아니라 모두 다른 분야, 거의 전혀 상관성이 없어 보이는 인문학과 자연과학의 분야를 자유 자재로 넘나들면서 책을 썼다는 점이 특징입니다.

그는 35세 때에 벌써 다음과 같은 다양한 주제를 공부했습니다.

> 나에게는 이미 두 권의 저서가 있다. 한 권은 생태학에 관한 책이고, 한 권은 경제학에 관한 책이다. 그리고 현재 두 권을 집필하고 있는 중이다. 한 권은 다나카 가쿠에이에 관한 것이고, 또 한 권은 중핵파(혁명적 공산주의자 동맹 전국 위원회를 지칭함)와 혁마르파(일본 혁명적 공산주의자 동맹, 혁명적 마르크스주의자파를 지칭함) 간의 대립에 관한 것이다. 그리고 다시 두 권 정도를 준비하고 있는데, 한 권은 팔레스타인 문제에 관한 것이고, 다른 한 권은 중학생을 위한 인생론 · 사회론에 관한 것이다. 나는 가끔 강연 의뢰를 받고 나가기도 한다. 강연의 테마는 기상이변 · 식량문제 · 경제전망 · 정보정리 · 공해 등 다양하다. 잡지에 실릴 글을 청탁 받았을 때의 테마는 더 광범위해진다. 범죄 · 스캔들 · 생물학 · 유전학 · 육아 · 심리학 · 학생운동 · 공산당 · 방위문제 · 석유문제 · 도시문제 등 모든 테마에 관해 수 차례에 걸쳐 글을 썼다. 나 자신조차 질릴 정도로 광범위한 테마로 글을 썼다(다치바나 다카시, 2001: 62~63).

다치바나는 그 이후 62세인 지금까지 우주문제 · 뇌 문제 · 임사체험 · 원숭이학 등의 수많은 다른 주제를 다루는 저서를 남겼습니다.

어떻게 이런 일이 가능할까요? 이것은 기본적으로 다치바나가 한 분야만 파고 들어가는 '스페셜리스트'가 아니라 지식의 모든 분야에 관심이 있는 '제너럴리스트'이기 때문입니다. 알고 싶은 분야의 호기심이 넘쳐서 흥미를 끄는 분야가 너무나 많은데 그 중에서 어느 한 가지만을 선택하는 것은 그의 적성에 맞지 않는다고 합니다. 그래서 제너럴리스트 같은 스페셜리스트가 되기로 결심한 후 폭넓은 주제를 취급하되, 자신이 다루는 분야는 나름대로의 전문가적인 식견을 갖추려고 노력했다고 합니다.

이 모든 것을 가능하게 한 것은 바로 그의 독학이요, 다양한 주제에 대한 그의 폭넓은 독서 때문이었습니다. 다치바나는 자신이 알고 싶은 분야를 연구할 때, 기본적으로 1m 높이 분량의 책을, 큰 주제일 경우에는 3~4m 높이 분량의 책을 독파한다고 합니다.

미국의 경영학 대부 피터 드러커

'경영학을 발명한 인물' 혹은 '경영학의 아버지'로 불려지는 피터 드러커(1909~)는 경영학만이 아니라 법학 · 정치학 · 경제학 · 사회학 등 사회과학 전반에 대한 30여 권의 전문서를 낸 바 있으며, 소설과 수필집과 예술분야에 대한 책도 낸 미국의 대표적인 만능 지식인입니다.

어떻게 피터 드러커가 이렇게 다양한 분야에 대한 전문 지식을 가지게 되었을까요? 또한 피터 드러커는 현재 90세가 넘은 고령에도 불구하고 여전히 저술가, 교수, 컨설턴트로서 왕성하게 활동하고 있습니다. 어떻게 이러한 일이 가능할까요?

이것은 말할 것도 없이 그가 새로운 주제에 대해 끊임없이 독서하고 공부하는 자세를 가지고 있기 때문입니다. 피터 드러커는 20살 때 프랑크푸르트의 최대 신문사에 금융 및 외교 담당 기자로서 첫 발을 내딛고 난 이후 자기가 평생토록 끊임없이 새로운 주제를 공부하게 된 경위를 이렇게 이야기합니다.

> 신문 기자는 여러 가지 주제에 대해 글을 써야 했기때문에, 나는 그 주제들에 대해 유능한 기자라는 소리를 들을 수 있을 만큼은 알아두어야겠다고 마음먹었다.
>
> 신문은 석간이었다. 우리는 오전 여섯 시부터 일하기 시작해서 오후 두 시 반, 그러니까 최종 편집판이 인쇄에 들어가면 퇴근했다. 나는 남은 오후 시간과 밤 시간을 이용해 공부를 하기 시작했다. 국제 관계와 국제법 · 사회제도와 법률제도의 역사 · 일반 역사 · 재무 등에 관해 공부했다. 공부를 하면서 차츰 나만의 공부법도 개발하게 되었는데, 나는 지금까지도 그 방법을 이용하고 있다. 나는 3년 또는 4년마다 다른 주제를 선택한다. 그 주제는 통계학 · 중세 역사 · 일본 미술 · 경제학 등 매우 다양하다. 3년 정도 공부한다고 해서 그 분야를 완전히 터득할 수는 없겠지만 그 분야가 어떤 것인지를 이해하는 정도는 충분히 가능하다. 그런 식으로 나는 60여 년이상 동안 3년 내지 4년마다 주제를 바꾸

어 공부를 계속해 오고 있다.

이 방법은 나에게 상당한 지식을 쌓을 수 있도록 해 주었을 뿐만 아니라 나로 하여금 새로운 주제와 새로운 시각 그리고 새로운 방법에 대한 개방적인 자세를 취할 수 있도록 해 주었다. 그도 그럴 것이 내가 공부한 모든 주제들 각각은 서로 상이한 가정을 하고 있었고, 또한 서로 다른 방법론을 사용하고 있었다(피터 드러커, 2001: 159~160).

2) 폭넓은 독서로 자기 분야의 정상을 이룬 사람들

이처럼 자신의 전공분야에서 확고한 입지를 가지고 있을 뿐만 아니라 다른 많은 분야까지도 전문가적인 지식을 가지고 있는 한국, 일본, 미국의 대표적인 다독가들만이 아니라 다양한 주제에 대한 폭넓은 독서를 통해 자신의 분야에 정상에 오른 수많은 사람들이 있습니다. 이러한 사람들 중에서 몇 사람의 예를 들어보겠습니다.

알렉산더 대왕

한 국가나 제국을 통치하는 왕들이나 황제들 중에서 손꼽히는 다독가들로서는 가장 먼저 알렉산더 대왕을 손꼽을 수 있습니다. 알렉산더는 유명한 철학자 아리스토텔레스의 제자로서 탁월한 전략가만이 아니라 탁월한 독서가이기도 했습니다. 서양 고대의 헬레니즘 문화를 만들어냈던 알렉산더의 동방원정은 단순한 정복전쟁이라는 면보다는 동서양의 문화통합을 꿈꾸었던 알렉산더 대왕의 독서산물이었다고 해도 과언이 아닐 것입니다.

나폴레옹 황제

나폴레옹 황제도 유명한 독서가입니다. 언제나 책을 손에 놓지 않고 전쟁터에서도 늘 책을 읽었던 나폴레옹의 일화는 유명합니다. 나폴레옹은 아직 황제가 되기 전 이집트 원정을 떠날 때, 4 주간의 기간이었는데도 1000권의 책을 싣고 떠났습니다. 또한 원정에 군인만 데리고 간 것이 아니라 학자 · 예술가 · 기술자 등으로 이루어진 4만 여 명의 정예부대를 거느리고 간 것을 보아도 나폴레옹이 전쟁을 단순한 영토 정복으로가 아니라 문화정복으로 생각했다는 것을 알 수 있습니다.

나폴레옹이 단순한 유럽통합을 위한 정복자요, 독재자적인 모습만이 아니라 국제연맹의 뿌리가 된 '유럽 연맹'을 구상하고, '유럽 법전' · '유럽 화폐' · '통일된 도량형' 등 다방면의 문화적 업적을 남긴 것은 그의 폭넓은 독서에서 비롯된 것임을 알 수 있습니다.

싱가포르의 국부 리콴유

리콴유는 말레이반도의 끄트머리에 자리잡은 작은 섬나라 싱가포르, 자원도 자본도 없고, 인구도 고작 200만 밖에 되지 않던 싱가포르를 단 30년만에 가장 번창하고 가장 정의로운 사회로 만든 20세기 최고의 정치 지도자이자 정치인 중의 한 사람입니다. 싱가포르의 국부 리콴유에 대해 조지 부시 전 미국대통령이 '금세기가 낳은 가장 위대한 정치인' 이라고 말하고, 토니 블레어 영국 수상이 '20세기가 낳은 위대한 지도자' 라고 불렀던 것은 결코 과장이 아닙니다.

리콴유가 싱가포르를 아테네 이후 가장 놀라운 도시국가요, 세계적인 부국으로 만들어 내는 과정에서 보여 준 탁월한 지도력의 밑바탕에는 폭넓은 독서가 있었습니다. 리콴유는 70세가 넘는 고령에도 언제나 최신 서적을 부지런히 읽는 것을 게을리 하지 않는 지도자였습니다. 그래서 리콴유는 '싱가포르 건설은 자신의 독서 상상력에서 비롯된 것' 이라고 자신 있게 말할 수 있었습니다.

중국의 국부 모택동

이것은 또한 오늘의 중국 건설의 아버지였던 모택동의 경우도 마찬가지입니다. 모택동은 젊은 시절 19세에 제일 성립 중학교에 입학하였지만 다음 해에 학교를 그만두고 아예 도서관에 파묻혀 책만 읽었습니다. 이 때의 경험을 모택동은 이렇게 말합니다.

> 성립 제일 중학교에 입학하였는데, 나는 이 학교를 좋아하지 않았습니다. 교과 과정에 지나치게 제한이 많았고, 규정 또한 못마땅했기 때문입니다. 이 학교에는 여러 가지로 나를 도와 준 선생님이 한 분 있었습니다. 그 분이 빌려 준 「어비통감집람」을 읽은 뒤에 나는 혼자서 책을 읽으며 공부하는 것이 낫겠다고 결론을 내렸습니다. 입학한 지 6 개월 만에 나는 이 학교를 그만 두었습니다. 대신에 매일 호남의 성립도서관에서 독서하였습니다. 나는 규칙적으로 집중해서 매우 열심히 책을 읽

었습니다. 아침 일찍 도서관에 가서, 도서관 문이 열리기를 기다렸습니다. 점심은 떡 두 개로 해결했습니다. 그리곤 도서관 문이 닫힐 때까지 책을 읽었습니다. 이렇게 보낸 6 개월이 나에게는 참으로 귀중한 시간이었습니다. 이 기간에 세계 지리와 세계 역사를 배웠습니다. 처음으로 세계 지도를 보며 연구하였습니다. 나는 또한 아담 스미드의 「국부론」과 찰스 다윈의 「종의 기원」을 읽었으며, 존 스튜어트 밀의 「윤리학」책도 읽었습니다. 또한 루소의 저술과 스펜서의 논리학, 몽테스키외의 법률서적 등도 읽었습니다. 고대 그리스의 시와 소설, 그리고 신화뿐만 아니라 러시아 · 영국 · 프랑스 기타 여러 나라의 역사와 지리에 대해서 열심히 읽었습니다(김정진, 2001: 134~135).

모택동은 이후에도 평생 책을 손에서 놓지 않고 살았습니다. 장개석의 국민당에 쫓겨 10만리의 대장정 중에 말라리아에 걸려 들 것에 실려가면서도 책을 붙잡고 있었습니다.

모택동의 폭넓은 독서 열기는 그가 죽기 전 1년 전인 83세 때도 여전했습니다. 눈이 나빠서 더 이상 책을 읽을 수 없게 되자, 44세의 북경대 여교수였던 노적을 독서선생으로 초빙해 종종 밤 11시에서 새벽 2시까지 침상 옆에서 책을 읽게 하곤 했습니다.

모택동의 중국 건설은 그의 폭넓은 독서력을 바탕으로 이루어졌음을 알 수 있습니다.

에디슨 · 헬렌 켈러 · 손정의 · 오프라 윈프리

다양한 분야에 대한 폭넓은 독서가 중요하다는 사실은 국가를 경영하는 지도자나 정치인에게만이 아닙니다. 도서관을 통째로 읽었던 발명왕 에디슨, 맹인 · 귀머거리 · 벙어리라는 3중의 장애를 손가락 독서로 극복하여 하버드 대학을 우등생으로 졸업하고 88세까지 전세계 장애자들의 희망의 등불로 살아갔던 헬렌 켈러, 특이한 기업 경영으로 전세계의 주목을 받고있는 손정의, 미국 '토크쇼의 여왕' 으로 불리는 오프라 윈프리 등은 모두 다양한 주제에 대한 폭넓은 독서를 통해서 자신의 분야에서 정상을 이룬 사람들입니다.

3) 폭넓은 독서로 신학을 마스터한 영적 거인들

다양한 분야에 대한 폭넓은 독서를 통해 자신의 분야에서 훌륭한 지도자로 우뚝 서는 일은 일반분야만이 아니라 설교와 신학분야에서도 마찬가지입니다. 이러한 사례는 어거스틴, 루터와 칼빈, 웨슬리, 조나단 에드워즈 등의 교회사의 한 획을 그었던 모든 사람들에게서 찾아볼 수 있습니다.

그러나 특별히 다음의 3사람은 신학교를 나오지 않았음에도 불구하고 다양한 분야의 폭넓은 독서를 통해 자신들이 살았던 시대에 최고의 설교자와 목회자로서 당대 기독교의 지도자들이 되었던 예입니다.

17세기의 위대한 청교도 리차드 백스터

17세기 청교도 가운데 실천 신학분야에서 가장 최고봉을 이루었던 리차드 백스터의 경우를 보십시오. 리차드 백스터가 살았던 17세기 유명한 청교도의 대부분이 옥스퍼드와 캠브리지 대학에서 공부한 석학들이었지만 리차드 백스터는 이들과는 달리 독학을 했습니다. 독서를 통해 교부신학, 중세신학, 종교개혁 신학 등의 다양한 주제를 공부한 리차드 백스터의 학식과 경건은 당대 다른 어떤 청교도 목사들보다 뒤지지 않았습니다. 오히려 가장 폭넓은 독서와 공부를 함으로써 17세기 후반 다른 모든 청교도 목사들의 지도자로 활동했습니다.

리차드 백스터가 남긴 총 3500페이지 이상의 170여 권의 저서 속에 담긴 주제는 거의 모든 조직신학 분야와 실제 성도들의 삶의 전 영역을 다루고 있습니다. 리차드 백스터는 특히 *Christian Directory*(기독교 생활지침서)를 통해서 성도들의 삶의 모든 분야 즉 개인생활 · 가정생활 · 교회생활 · 시민생활 등에 대한 방대한 생활 지침을 주고 있으며, 이러한 분야에 있어서는 아직도 타의 추종을 불허하고 있습니다. 성도들의 생활에 대한 리차드 백스터의 지식은 가히 '기독교인 생활 대 백과사전'에 해당됩니다.

리차드 백스터가 이러한 성경지식과 성도들의 삶에 대해 현미경적인 구체적 지식을 가질 수 있게 된 것은 모두 그의 다양한 주제에 대한 방대한 독서량 때문이었습니다. 리차드 백스터가 17세기 당시의 목회자들과 성도들에게 읽을 것을 권면하는 그의 독서목록은 우리들의 기를 완전히 꺾어 놓습니다. 동시에 어떻게 해서 리차드 백스터 같은 인물이 나올 수 있게 되었는지에 대한 실마리를 얻게 됩니다.

리차드 백스터가 제시하는 다양한 주제에 대한 독서목록을 보면 다양한 주제에 대한 폭넓은 독서 없이 리차드 백스터 같은 큰 인물이 나오기는 어렵다는 사실을 깨닫게 됩니다.

19세기의 위대한 설교자 스펄전

교회사가 배출한 '설교의 대왕' 스펄전은 대학도 나오지 않았고, 신학교도 나오지 않았습니다. 요즈음 학력으로 치자면 중졸 아니면 고졸 정도 됩니다. 그러나 스펄전은 20세기 교회사를 통틀어 가장 위대한 목회자요, 설교자가 되었습니다. 물론 스펄전의 신학 또한 당대의 어느 신학자 못지 않은 실력이 있었습니다. 무엇보다 스펄전은 당대 최고의 설교자로서 위로는 왕으로부터 아래로는 하층민에 이르기까지 거의 모든 계층의 사람들에게 설교를 통한 막대한 영향을 끼쳤습니다.

스펄전은 19세기 영국 런던에서 이미 매주 1만여 명 이상의 청중들을 대상으로 설교한 전설적인 설교자였는데 그의 설교는 육성으로 자신의 회중에게 전달되는 것으로 그치지 않고, 매주 설교집으로 발간되어 영어를 사용하는 세계의 여러 지역으로 매주 수만 부씩 발송되었습니다.

이처럼 매주 발행된 스펄전의 설교집은 해마다 1권으로 묶여졌고, 이것은 그의 생전에 38 년간 지속되었으며, 그의 사후 계속 같은 방식으로 수십 년간 지속되어 약 63 년간 같은 방식으로 만들어진 전설 같은 설교총서입니다.

63권에 담겨있는 스펄전의 설교 1편의 분량은 오늘날 일반적인 설교 분량으로 치자면 약 3~4번으로 나누어서 해도 될 정도의 분량입니다. 또한 스펄전 설교 한 권의 양은 요즈음 발행되는 약 300~400페이지 설교집의 분량으로 거의 3~4권의 분량에 해당됩니다. 스펄전의 설교전집을 요즈음 300~400페이지 분량으로 조판했을 경우 약 200권 이상이 됩니다.

스펄전 설교전집을 성경본문별로 나누어보면 66권 전 성경의 전 장이 거의 모두 설교 본문으로 사용되었습니다. 스펄전은 거의 모든 성경, 거의 모든 장과 모든 중요한 구절들을 설교했던 것입니다.

또한 스펄전의 설교전집을 주제별로 분류해 보면 거의 모든 신학적이고 실제적인 주제를 다 다루고 있습니다. 스펄전 설교전집은 가히 브리태니커 백과사전에 비교할 수 있는 설교백과대사전이라 불러도 손색이 없습니다.

이뿐 아니라 스펄전은 약 200여 권의 크고 작은 저서들을 통해 수많은 주제에 대한 글들을 남겼습니다. 스펄전의 독서량은 당대 최고였고, 스펄전의 성경과 신학지식은 당대에 가히 비길 자가 없었습니다. 스펄전이 남긴 63권의 방대한 설교집과 200여 권의 저서는 교회사에서 한 사람이 남긴 가장 많은 저술 분량에 해당됩니다.

어떻게 정규학교의 학위를 가지지 않은 스펄전이 이러한 업적을 이루어냈을까요? 그 비결은 바로 스펄전의 독서에 있습니다. 스펄전은 참으로 성경과 신학과 일반분야에 관련된 다양한 주제들에 대해 폭넓은 독서를 했습니다.

스펄전의 아버지와 할아버지는 모두 목사였습니다. 그래서 스펄전은 아주 어릴 때부터 아버지와 할아버지의 서재에서 많은 책을 읽는 것을 아주 좋아했습니다. 스펄전의 아버지는 어릴 때의 찰스 스펄전에 대해서 이렇게 말합니다.

찰스는 좋은 체격을 가진 건강한 소년이었습니다. 그 애는 다정했고, 근면했습니다. 그 애는 늘 책을 읽었죠. 다른 아이들처럼 정원에서 흙을 파고 놀거나 비둘기를 기르지 않고 말이죠. 언제나 책, 책만 읽었습니다. 만약 그 애의 엄마가 그와 함께 어디론가 가고 싶다면 그녀는 아이를, 책이 수북히 쌓여져있는 나의 서재에서 틀림없이 찾을 수 있었습니다. 찰스는 총명했고, 모든 분야에 있어서 그랬습니다(아놀드 델리모어, 1993: 24).

또한 스펄전의 동생 제임스는 10대 초반 소년시절의 형에 대해서 이렇게 말했습니다.

찰스는 공부밖에 몰랐습니다. 저는 토끼며 닭, 돼지, 말 등을 돌보았습니다. 그는 책에만 몰두했습니다. 제가 한 소년이 관심 가질 수 있는 이런 저런 모든 일에 참견하며 이곳 저곳을 돌아다닐 때, 그는 책만 읽었습니다. 그러나 그는 다른 일들에 관계하지 않으면서도 그것들에 대해 사람들에게 이야기할 수 있었습니다. 왜냐하면 그는 아주 풍부하고 뛰어난 기억력을 가지고 항상 모든 것에 대해 읽었기 때문입니다(아놀드 델리모어, 1993: 28~29).

이렇게 스펄전은 어릴 때부터 많은 책을 읽었기 때문에 9살이나 10살쯤 되었을 때는 존 오웬이나 리차드 십스, 존 플라벨이나 매튜 헨리 같은 청교도들의 책을 읽고 이들의 훌륭한 점을 이해할 수 있었습니다.

스펄전은 이미 이런 저자들의 신학적 주장의 의미를 대부분 파악했으며, 이러한 주장들에 대한 찬반양론을 추리해 낼 수 있을 만큼 되었습니다. 그래서 아버지 친구 목사들이 집에서 아버지와 토론할 때면 어린 스펄전도 함께 토론에 참여할 수 있을 정도였습니다. 스펄전은 이에 대해 이렇게 말합니다.

> 나는 어린아이들이 성경을 이해할 수 있다고 확신합니다. 내 자신도 어린아이 시절에 아버님이 친구 목사님들과 함께 문제를 놓고 자유롭게 토론하시는 것을 듣고, 그 신학적 문제의 여러 가지 중요한 면들을 토론할 수 있었습니다(아놀드 델리모어, 1993: 25).

우리는 스펄전이 15살에 회심한 유명한 이야기들을 많이 알고 있지만 사실 스펄전은 회심하기 이전 벌써 10살 정도쯤에는 많은 독서를 통해 이미 기독교의 기본적인 교리들에 대해서 거의 다 알고 있었다는 것은 잘 모르고 있습니다. 스펄전의 회심은 이미 많은 신학독서를 통해 형성되어 있던 스펄전의 신학적 촛불에 체험적인 구원의 확신을 점화시켜 주는 역할을 했던 것입니다. 위대한 설교자로서의 스펄전의 기초는 이미 그의 소년시절의 독서생활에서 엿볼 수 있습니다.

스펄전은 어릴 때만이 아니라 평생 위대한 독서가로서 매주 많은 책을 읽었고, 이러한 스펄전의 다양한 주제에 대한 독서량은 그가 쓴 「주석과 주해」라는 책에 가장 잘 나타나 있습니다. 스펄전은 후배들에게 가장 유익한 주해서와 신학서들을 소개해 주기 위해 약 3~4천 권의 책들을 읽고 검토한 후 이 중 약 1500권 정도를 간략한 서평을 붙여서 소개해 주고 있습니다.

또한 그가 매달 발간한 '검과 흙손'이라는 잡지에는 언제나 중요한 책들에 대한 스펄전의 서평이 실려 있었습니다. 스펄전의 방대한 독서량은 특히 7권으로 되어 있는 시편에 대한 주해서인 「다윗의 보고」에 잘 나타나 있는데 이 책 안에는 엄청난 분량의 여러 저서들에서 발췌한 인용문들이 있습니다.

이 모든 것을 살펴보면 스펄전은 마치 스펄전 이전까지의 중요한 주석과 경건서적은 모두 알고 있었던 것 같은 인상을 줍니다. 또한, 일반 분야에 대한 독서도 풍부했음을 보여 줍니다. 이처럼 다양한 주제에 대한 폭넓은 독서가 결국 19세기 영국 교회의 가장 위대한 지도자인 스펄전의 설교와 목회사역의 가장 중요한 원동력 가운데 하나였던 것입니다.

20세기 최고의 복음주의 설교자 로이드 존스

20세기 복음주의의 가장 위대한 지도자이자 20세기 최고의 설교자로 불러 손색이 없는 로이드 존스도 마찬가지입니다. 로이드 존스는 스펄전과는 달리 목회자가 되기 이전에 이미 의학분야의 박사학위를 가지고 있었고, 의료계에서는 당시 최고 수준의 의사였습니다. 그러나 로이드 존스도 스펄전과 마찬가지로 목회자와 설교자가 되기 이전에 정규 신학교는 나오지 않았습니다. 개인적으로 공부하여 웨일즈 장로교단의 노회에서 주관하는 목사고시를 통과하여 목회자가 되었습니다.

그런데 어떻게 신학교도 나오지 않은 로이드 존스가 20세기 최고의 설교자가 될 수 있었을까요? 또한 로이드 존스의 교회사 특히 부흥신학사와 조직신학에 대한 지식은 참으로 방대했고, 당대 최고 수준이었습니다. 어떻게 정규적인 신학교를 나오지 않은 사람이 이런 놀라운 수준에 도달할 수 있었던 것일까요?

우리는 그 비밀의 열쇠를 마틴 로이드 존스의 장녀인 엘리자베스 캐서우드가 아버지인 로이드 존스의 독서생활에 대해서 이야기하는 것을 통해서 발견할 수 있습니다. 로이드 존스의 장녀는 아버지에 대한 가장 강력한 인상은 바로 아버지의 독서하는 모습이었다고 이렇게 전해 줍니다.

> 우리 집에는 부친의 사진이 한 장 있는데 서재에서 책을 보시는 모습입니다. 제가 가장 좋아하는 사진인데, 제가 기억하는 부친의 정확한 인상입니다. 우리 주변에서 일어나는 온갖 사건들 속에서 무릎 위에 책을 올려놓고 독서를 즐기면서 우리들도 함께 즐기기를 원하시는 듯한 이 평화로운 모습의 부친을 저는 대단히 좋아합니다(엘리자베스 케서우더, 1993: 30).

또한 로이드 존스는 평상시에도 오전에는 거의 독서를 하는 생활 습관을 가지고 있었지만 특별히 휴가 때는 아주 두꺼운 전집류 같은 평소에 읽기 힘든 책들을 중심으로 읽었습니다. 로이드 존스의 딸이 기억하고 있는 로이드 존스의 휴가 때 독서하는 모습은 정말 인상적입니다.

> 부친은 휴가 때에는 항상 많은 분량의 독서를 하였습니다. 역시 어렸을 때의 일입니다. 우리는 1930년 중반에 웨일즈의 아름다운 보스(Borth)라는 해변으로 갔었습니다. 매우 더운 날씨였습니다. 저는 수영복을 입고 뛰놀며 모래를 파기도 하고 물장구도 쳤습니다. 모두 다 1930년대에 허락된 정도 만큼의 노출을 하고서 해변에 나가 있었습니다. 우리들은 모두 뜨거운 햇볕 아래에서 일광욕을 하며 놀았습니다. 그런데 저의 부친은 해변의 한 모퉁이에 있는 바위 앞에서 평소에 사용하던 모자, 구두, 양말, 조끼 등을 그대로 걸치고서 부르너가 쓴 「하나님의 명령」(*The Divine Imperative*)이라는 책을 읽고 있었습니다. 일광욕 해변에서! 부친은 여름 휴가 동안에는 항상 아침에 책을 읽었습니다. 그러나 우리 가족은 부친의 이 같은 독서 습관을 전혀 싫어하지 않았습니다. 앤과 저는 독서가 부친의 일부라고 간주하였습니다. 부친은 정말 굉장한 독서가였습니다. 독서는 그의 일이었고 즐거움이었습니다. 독서는 그의 일부였기에 우리들의 일부가 되었습니다 (프레드릭 케서우드 · 엘리자베스 케서우드, 1993: 31).

로이드 존스의 독서의 범위와 분량은 참으로 방대한 것이었습니다. 로이드 존스가 가장 즐겨 읽은 분야는 신학서적과 경건서적 그리고 교회사와 전기였습니다. 그러나 로이드 존스는 철학이나 문학이나 의학

같은 기독교 이외의 일반 분야에 대한 독서를 통해서 당시의 유명한 사상가들의 글들은 거의 다 읽었습니다. 그래서 로이드 존스 당대의 철학적, 신학적 발전 상황들을 아주 예리하게 파악하고 있었습니다. 이와 같은 로이드 존스의 다양한 주제에 대한 폭넓은 독서습관에 대해 그의 딸은 이렇게 말합니다.

> 부친의 일반서적 독서는 분량과 분야에 있어 놀라울 정도였습니다. 어떻게 그 많은 분야의 책들을 다 감당하는지 알기 어려운 일이었습니다. 부친은 실로 광범위하게 읽었습니다. 부친은 독서의 기능을 정신적 자극으로 보았는데 거기에 한 가지를 덧붙인다면 정보 제공이었습니다. 그는 관련 분야의 책들을 통해 필요한 모든 정보를 제공받았습니다.…… 부친에게 정보를 위한 책읽기는 독서의 일부분에 지나지 않았습니다. 그는 넓게 읽고 많이 읽었습니다(프레드릭 케서우드 · 엘리자베스 케서우드, 1993: 40~43).

로이드 존스는 여러 분야의 폭넓은 독서를 하고 책에 대한 정보를 얻기 위해 잡지의 서평란은 꼭 빼놓지 않고 보았습니다. 이에 대해 로이드 존스는 자신의 광범위한 독서의 이유를 이렇게 밝힌 바 있습니다.

> 독서를 넓게 하면 정신에 원기가 돌지. 그래서 나는 일반주제들과 출판물들을 다룬 잡지들을 꾸준히 받아 보면서 잘 쓰여진 글들이나 양서 서평들을 즐기고 있단다(프레드릭 케서우드 · 엘리자베스 케서우드, 1993: 43).

우리는 로이드 존스가 신학교를 나오지 않았다고 해서 결코 신학공부를 하지 않은 사람이 아니라는 것을 알게 되었습니다. 로이드 존스는 당대 누구보다 신학공부를 많이 한 사람입니다. 그러나 로이드 존스는 이 신학공부를 혼자서 수많은 주제에 대한 폭넓은 독서를 통해 한 것입니다. 로이드 존스는 독서를 통해 성경신학을 전공했고, 또 조직신학을 전공했고, 또 부흥사를 전공했고, 청교도를 전공했으며, 기타 수많은 일반 분야를 공부했습니다.

로이드 존스는 이 모든 신학분야에서 공식적인 학위는 하나도 없었지만 당대 최고의 성경신학 · 조직신학 · 교회사 · 실천신학에 대한 해박한 지식을 가지고 있었습니다.

20세기의 강해설교집의 기념비적인 저서인 「로마서 강해 시리즈」와 「에베소서 강해 시리즈」같은 위대한 설교집이 나오게 된 것은 결코 우연이 아닙니다. 로이드 존스의 평생에 걸친 다양한 주제에 대한 폭넓은 독서의 삶을 통해서만이 그 비결을 발견할 수 있습니다. 로이드 존스는 명실공히 폭넓은 독서를 통해 20세기 복음주의권의 탁월한 지도자로 20세기 최고의 설교자로 우뚝 설 수 있었던 것입니다.

4) 평생 독서대학에서 폭넓은 독서를 하는 지도자들

큰 인물, 큰 사람이 나오기 위해서는 폭넓은 독서가 필요하다

사실 사회는 각계 각층의 다양한 분야가 함께 서로 네트워크 되어 있는 거대한 유기체입니다. 여러 다양한 분야가 존재하며, 각계 각층의 조직이 필요합니다. 모름지기 어느 분야이든지 간에 단순히 한 분야의 전문가 정도가 아니라 한 분야의 지도자가 되기 위해서는 다양한 분야의 폭넓은 지식이 필요합니다.

세계와 인간에 대한 이해를 폭넓게 하고 있는 지도자와 그렇지 않은 지도자의 차이는 결국 독서가 만들어내는 것입니다. 큰 인물, 큰 사람이 되기 위해서는 다양한 분야의 폭넓은 독서가 필요합니다. 폭넓은 독서를 하지 않고서도 해당 분야의 지도자가 될 수는 있습니다. 그러나 그는 분명 근시안적인 지도자가 될 수밖에 없을 것입니다. 우리 시대 여러 분야에서 한 분야의 전문가들은 수없이 많지만 정말 많은 사람들에게 존경받는 지도자들이 많이 배출되지 않는 것은 폭넓은 독서를 통한 폭넓은 지식과 통찰력을 가진 지도자가 드물기 때문이 아닌가 합니다. '지도자는 독서가'라는 명언을 다시 한 번 가슴에 새겨야 합니다.

독서대학은 평생대학이다

그러므로 우리가 깨트려할 잘못된 사고방식 가운데 하나는 특별한 전공 공부를 하기 위해서는 반드시 대학이나 대학원에 가서 공부를 해야 한다는 생각입니다. 대학이나 대학원은 역사적으로 전문분야를 공부하기 위해 만들어진 탁월한 제도임에 분명합니다. 그러나 정규 대학이나 대학원에 들어가지 않으면 공부를 할 수 없다고 하는 생각은 크게 잘못된 것입니다.

정규적인 대학에 들어가느냐, 가지 않느냐 보다 더욱 중요한 것은 책을 읽느냐, 읽지 않느냐 하는 것입니다. 또한 요즈음 시대처럼 여러 가지 분야에 대한 전문지식을 공부하기 위해서는 대학교육은 원천적으로 한계를 가지고 있습니다.

이에 대해 많은 주제에 대한 전문지식을 가지고 있는 정을병은 이렇게 말합니다.

> 사람은 대학에서 전공을 택하게 되지만, 그것에는 한계가 있다. 한 사람이 한 대학도 나오기 힘든데 두 대학, 세 대학, 혹은 네 대학씩 나올 수는 없는 것이다. 그러나 독서로써는 대학을 몇 개라도 나올 수가 있다. 다만 학위만 없을 뿐이다. 그러나 학위 같은 형식적인 것이 무슨 소용이 있는가. 오늘날의 시대는 그런 형식적인 것으로는 먹고 살 수가 없다. 실제로 할 수 있는 것이 무엇이냐가 중요한 것이고, 그 할 수 있는 것도 어느 정도의 수준이냐 하는 것이 문제인 것이다(정을병, 2002: 235).

정을병의 말에 저는 전적으로 동감합니다. 자기 스스로 독학을 통해 여러 분야의 전공 공부를 해나가는 이러한 방식을 저는 '독서대학'이라 부르고 싶습니다.

이름 있는 명문대학 졸업장만 가지고 있고, 독서대학을 전혀 다니지 않는 사람보다는 대학문도 밟아보지 못했다 할지라도 독서대학에서 여러 가지의 전공 공부를 많이 한 사람이 훨씬 더 실력이 있을 수밖에 없습니다.

한 분야에 대한 가장 최상의 지식을 가지는 방법은 물론 자신이 배우고자 하는 분야의 세계 최고 학자 내지 전문가 밑에 들어가 몇 년씩 개인지도를 받아가면서 공부하는 것입니다. 그러나 여러 가지 분야의 공부를 하려고 할 때, 이것은 불가능합니다. 그리고 효율적이지도 않습니다.

제일 좋은 방법은 혼자서 독학하는 것입니다. 관련 분야의 책을 모조리 읽어나가는 것입니다. 직접 강의를 듣지 않아도, 그 분야의 정상에 있는 사람들이 써 놓은 책과 논문을 읽어 가면 곧 그 분야의 전문지식을 쌓을 수가 있습니다. 반드시 공부를 위해서는 대학에 들어가야만 한다는 생각을 버려야 합니다.

공부를 하려면 독서대학에 들어가십시오. 독서대학은 평생대학입니다. 현대사회에는 끊임없이 지식이 확대 재생산되고 있기 때문에 옛날 대학시절에 배운 지식만 가지고 전문분야에서 살아갈 수가 없습니다. 요즈음은 얼마나 빠르게 지식이 새로워지고 있는지 5년 정도만 지나면 각종 전문분야의 지식이 새로워집니다. 따라서 대학이나 대학원 졸업이후 끊임없이 지속적인 재교육을 받지 않으면 관련 분야에서 뒤 처질 수밖에 없는 현실입니다. 그래서 대학교에서는 평생교육원이라는 이름으로 강좌를 개설해서 또다시 공부를 하기도 합니다. 이런 과정에서 공부를 안 하는 것보다는 하는 것이 낫지만 이것보다 더욱 좋은 평생교육원은 독서대학입니다. 혼자서 책을 통해서 독학하면서 공부하는 것입니다. 이것은 시간도 돈도 모두 절약하는 길인 동시에 효과와 능률면에서는 더욱 좋은 방법입니다.

책을 읽으면 누구나 전문가가 될 수 있다

적어도 한 분야의 책을 100권 정도만 읽는다면 어느 정도 그 분야의 전문지식을 가질 수 있다고 생각됩니다. 100권 정도의 책을 읽는 데 걸리는 기간은 하루에 어느 정도의 시간을 투자하느냐에 따라 달라질 것입니다. 몇 개월이 걸릴 수도 있고, 몇 년이 걸릴 수도 있을 것입니다.

또한 하루에 1권을 읽어서 1 년간 투자한다면 300권 이상의 책을 읽을 수가 있습니다. 아니면 3일에 1권을 읽어서 3년만 투자한다해도 역시 300권 이상의 책을 읽을 수 있습니다. 한 분야에 대한 책을 300권 이상만 읽는다면 누구라도 어떤 분야라도 그 분야에서 전문가가 될 수 있습니다.

왜 유학 열풍, 학위 열풍이 부는가?

최근 목회를 하면서 계속적인 교육에 대한 갈망을 가지고 신학석사나 목회학 박사과정을 밟는 경우들이 점점 많아지고 있습니다. 그리고 목회자가 되기 위한 필수공부인 목회학석사(M.Div)를 마치고 외국에 유학 가는 것이 하나의 유행이 되다시피 하고 있습니다.

목사가 되기 위한 준비공부로서 목회학 석사과정 3년은 완전하지는 않지만 목사가 되기 위한 기본적인 신학소양교육 과정으로서는 충분합니다. 3년의 신학공부가 충분하다는 것은 더 이상 공부할 것도 없고, 배울 것도 없다는 의미에서의 충분함이 아닙니다. 신학대학원에서 3

년의 교육을 정상적으로 받고 나면 그 이후에는 평생토록 혼자서 신학 공부를 계속할 수 있는 최소한의 자격이 갖추어졌다는 점에서의 충분함입니다.

이것은 마치 자동차 운전 면허증과도 같은 개념입니다. 자동차 학원에 몇 주 다닌 후에 자동차 면허시험에 합격하면 자동차를 운전할 수 있는 면허증을 교부 받게 됩니다. 자동차 면허증을 가진 사실이 자동차를 능숙하게 운전할 수 있는 완벽한 자동차 운전 기술을 가졌다는 것을 의미하지는 않습니다. 그러나 자동차 면허증을 가졌다는 것은 이제 자기 스스로 자동차를 운전할 수 있는 수준은 되었다는 뜻입니다. 이제 자동차 면허증을 가지고 스스로 자동차를 계속 운전하는 것 밖에는 능숙한 운전자가 되는 다른 비결은 없습니다. 자동차 면허증을 가진 이후에는 자동차를 많이 운전할수록 더 능숙한 운전자가 되기 마련입니다.

현재의 신학대학원의 3년 교육 과정도 마찬가지입니다. 신학대학원 3년의 목회학 석사 과정을 마치고 졸업장을 가진 것은 이제 평생토록 목회자 스스로 성경을 연구하며, 신학공부를 계속할 수 있는 자격증을 가지고 있다는 뜻입니다. 신학대학원 3년의 교육과정에는 목사로서 기본적으로 알아야 할 신학분야의 모든 내용이 다 포함되어 있습니다. 또한 각 신학 분야의 전문가인 교수는 학생들에게 그 분야에서 좋은 책들을 소개해 줍니다. 그러므로 이제 신학대학원을 졸업한 신학생들은 자기 혼자의 힘으로 평생 성경연구를 계속할 수 있는 기초는 다 가지고 있는 셈입니다.

그런데도 불구하고 왜 신학대학원 3년의 과정을 다 마친 후에 또다시 자꾸만 신학석사과정(Th.M)이나 목회학 박사 과정(D.D)을 공부하려고 하는 것일까요? 더구나, 외국에 나가서 공부를 하려고 하는 것일까요?

실력부족을 학위로 치장하려는 사람들

아마도 자신의 실력부족을 학력으로 위장하기 위한 사람들이 있을 것입니다. 학위라고 하는 간판을 이용해서 자신을 치장하려고 하는 것입니다. 물론 이렇게 된 것은 시대의 풍조와 무관하지 않습니다. 우리 사회는 점점 고학력 사회가 되어가고 있습니다. 몇십 년 전만 하더라도 대학생도 귀한 시절이었지만 이제 대학교육은 완전 대중화되었고, 석사만 아니라 박사도 부지기수인 시대가 되었습니다.

그러니 자연 교인들 중에도 석사 · 박사 등의 고학력을 가진 사람들이 적지 않게 되었습니다. 이러한 교인들을 데리고 목회하는 목사도 '박사' 라는 타이틀 하나 없으면 도무지 체면이 서지 않는 세태가 되었습니다. 그래서 하다못해 목회학 박사 하나라도 걸치고 있어야 어디에 명함이라고 내밀 수 있는 시대풍조가 되었습니다. 그래서 수많은 목사님들이 이 유혹을 이기지 못하고 돈 주고라도 박사학위 하나 만들고, 대충대충 엉터리로 공부하더라도 박사학위 주는 그런 학교에서 '목회학 박사' 하나 받으려고 기를 쓰고 있는 눈물나는 장면이 연출되기도 합니다.

목회지를 구하기 위한 생존 전략으로 학위를 선호하는 사람들

또한 현실적으로 각 교단마다 신학교에서 배출한 목회자의 수는 기존교회에서 필요한 목회자의 수보다 훨씬 많습니다. 수요보다 공급이 훨씬 더 많은 과잉공급현상이 생긴 것입니다. 그러다 보니 한 교회에서 목회자 청빙을 위해 공고를 내면 수십, 수백 통의 이력서가 쏟아져 들어가게 됩니다. 교회는 목회자를 청빙하게 될 때, 우선적으로 최소한의 자격기준으로 더 공부를 많이 한 고학력자를 선호하게 됩니다.

이렇다 보니 그냥 신학대학원 졸업장만 가지고는 기존 교회의 담임목회자리는 이력서도 제대로 못 내미는 현실이 되고 말았습니다. 실력이 있든 없든 기본적으로는 학위라고 하는 간판을 가지고 있어야 최소한 명함이라고 내밀 수 있는 뼈아픈 현실이 있습니다. 그래서 최소한 목회지를 구하기 위한 생존의 차원에서도 신학대학원 졸업만이 아닌 상급학교의 공부가 필요한 시대가 되고 말았습니다.

부족한 실력을 쌓기 위해 학위공부를 하려는 사람들

물론 신학대학원을 마치고 계속해서 연장교육을 받고자 하는 사람들이 모두 이러한 이유 때문만은 분명 아닙니다. 자신의 실력부족을 절감하고 더욱 실력 있는 목회자가 되기 위해서 공부를 더 해야 되겠다고 생각해서 신학석사나 혹은 목회학 박사 혹은 외국 유학을 결심하는 분들도 더욱 많이 있습니다. 이런 분들은 정말 존경스럽습니다. 배움에 대한 욕구가 있다는 것은 그만큼 살아있다는 증거입니다. 앞으로 자신이 맡게 될 목회 사역을 더 효과적으로 감당하기 위한 실력을 기르기 위해 신학대학원(M.Div) 과정만으로는 부족해서 계속 더 공부하겠다는 뜻은 참으로 숭고합니다.

그러나 이런 분들도 이러한 목회자로서 실력을 기르는 방법에 대해서는 잘못된 생각을 가지고 있기 때문에 이러한 상급교육과정을 택하는 경우가 많이 있다고 생각됩니다. 자신의 실력부족을 메우기 위해 신학공부를 계속해서 더 해야 하겠다고 생각하는 사람들은 정말 이것이 바른 방법인가를 진지하게 고민해 보아야 할 것입니다. 과연 학위공부를 통해 학위 하나를 더 받았다고 해서 나의 성경실력 · 신학실력 · 설교실력 · 목회실력 더 나아가서 나의 영적 성숙이 자동적으로 이루어지는가를 진지하게 검토해 보아야 합니다.

평생 독서대학에서 평생 공부하는 목회자가 되자

신학대학원을 졸업하고 연장교육으로서 학위를 따는 공부를 하는 것은 자신이 공부하는 한 분야의 지식이 증가하는 데는 분명 도움이 되지만, 정작 목회자로서 필요한 실력을 기르는 것과는 차이가 있다는 사실을 알아야 합니다. 좋은 목회자, 좋은 설교자가 되기 위한 필수코스로 외국유학이나 상급학교의 공부가 필수는 아니라는 사실입니다.

우스개 소리로 요즈음은 '파리 뒷다리 하나만 연구해도' 박사학위를 받는 세상입니다. 그만큼 학위를 따는 공부분야는 세분화되어 있다는 뜻입니다. 또 기존의 사상이나 학설을 답습해서는 박사학위를 받을 수 없습니다. 그래서 박사학위의 주제는 자꾸만 더 세분화될 수밖에 없고, 색다른 주제를 선정할 수밖에 없습니다.

그래서 어느 한 분야의 학위공부를 한다는 것이 목회자로서 필요한 전체적인 성경지식과 신학지식과 실천지식을 자동적으로 증가시켜 주는 것이 아닙니다. 오히려 정반대의 현상이 일어날 수 있습니다. 적어도 자신이 전공하는 분야의 학위를 따기 위한 공부를 할 때에 성경지식 · 신학지식 · 경건 생활의 모든 면에서 자신의 범위를 좁혀야 하고, 자신의 삶을 축소시켜야 하는 현상이 빚어지게 됩니다. 이런 경우, 학위공부는 오히려 자신의 목회 자질, 영적 자질을 기르는 것과는 반대방향으로 나갈 수도 있습니다.

따라서 박사학위를 받고 신학교수가 되어야 할 사람은 필수로 학위과정의 공부를 해야 하겠지만 목회를 잘 하고 싶어서, 설교를 잘 하고 싶어서 즉, 목회자로서의 지적 · 영적 실력을 기르기 위한 목적으로 공부하는 사람들에게는 상급학교의 학위를 받기 위한 공부가 반드시 도움이 되는 것이 아니라는 점입니다.

오히려 남들이 학위공부를 한다고 보내는 그 기간 동안, 자신의 목회지에서 자신에게 필요한 독서를 하는 것이 더욱 효과적입니다. 상급학교보다 독서대학에 입학하는 것이 더욱 좋습니다. 외국유학을 가려하지 말고 독서대학에 입학을 하는 것이 더욱 효과적입니다. 무리하게 박사학위 따려 하지 말고 독서대학에서 공부하는 것이 더욱 바람직합니다.

3. 많은 책을 읽기 위해서는 '속독'을 하라

지식과 정보를 얻기 위한 독서의 첫 번째 비결은 '다독' 즉 많이 읽는 것이라고 했습니다. 그렇다면 많이 읽기 위해서는 어떻게 해야 할까요? 기본적으로는 전체적으로 책 읽는 시간의 양을 많이 확보해야 합니다. 오랜 시간을 두고 많은 책을 읽으면 자연히 한 분야나 주제에 대해 다독이 됩니다.

그러나 효과적으로 다독을 하기 위해서는 무조건 책을 오랜 시간 읽는다고 되는 것이 아닙니다. 한 권을 읽는 시간을 단축해야 합니다. 한 권을 읽는 데 보내는 시간을 짧게 하기 위해서는 당연히 빨리 읽어야 합니다. 빨리 읽지 못하면 많이 읽지 못합니다. 그래서 다독을 하기 위해서는 속독이 필요합니다.

그렇다면 어떻게 속독을 할 수 있습니까? 속독의 방법론에는 크게 2가지가 있습니다. 첫째는 눈 운동을 통한 속독법이라 할 수 있고, 둘째는 기술적 속독법이라 할 수 있습니다.

1) 눈 운동을 통한 속독법

먼저 눈 속독법이란 책 읽는 눈의 기능을 강화시켜 책을 빨리 읽으려고 하는 것입니다. 근육을 단련시키면 점점 무거운 물건을 들 수 있는 것처럼, 눈동자를 훈련시키면 책을 조금 더 빨리 읽을 수 있고, 시야를 조금 더 넓게 확보해서 한 번에 책을 보는 범위를 넓힐 수 있습니다.

눈 운동을 통한 이러한 속독법이 한동안 유행한 적이 있습니다. 그러나 이러한 속독법에는 한계가 있습니다. 눈의 힘을 길러서 책을 빨리 읽는다고 해서 다 좋은 것은 아닙니다. 속독의 목적은 무조건 빨리 읽는 것이 아니라 읽은 책의 내용을 이해하면서 빨리 읽는 것입니다. 이해도 되지 않는 채 속독만 한다면 속독의 의미가 전혀 없습니다. 이해력이 동반되지 않는 기계적인 속독법은 아무런 소용이 없습니다.

신문이나 잡지에 실린 가벼운 이야기들은 몰라도 사상이나 철학이 담긴 책들은 빨리 읽는다고 해서 도움이 되지는 않습니다. 뜻을 이해하면서 읽어야 의미가 있는 것입니다.

그래서 책 안구운동을 통해 빨리 읽는 기계적인 속독법이 아니라 다른 종류의 기술적인 속독법이 필요합니다. 그것은 바로 필요한 부분만을 골라서 읽는 것입니다.

2) 골라 읽기를 통한 속독법

첫째, 속독을 하기 위해서는 책을 전부 다 읽지 말고 필요한 부분만 발췌해서 골라 읽기를 해야합니다. 지식과 정보를 위한 독서를 할 경우, 한 권의 책에는 내가 얻고자 하는 정보가 다 들어있지도 않고, 또 내가 원하는 정보가 책의 전편에 골고루 담겨있지도 않음을 알아야 합니다. 내게 필요한 정보만을 얻기 위해서 책을 읽는데 내게 필요 없는 정보가 담긴 부분까지 다 읽는다면 이것은 시간낭비, 노력낭비가 될 것입니다. 따라서 내게 필요한 정보가 있는 곳만 집중적으로 골라서 읽는다면 빠른 시간 내에 책을 한 권 읽을 수 있는 것입니다. 이러한 골라 읽기, 발췌독은 속독의 자연스러운 방법 가운데 하나입니다.

책의 20%만 읽어서 필요한 정보의 80%을 얻는다면 이것보다 더 효율적인 독서가 어디 있겠습니까?

이처럼 책을 빨리 읽기 위해서는 책을 반드시 '커버에서 커버까지 이 잡듯이 샅샅이 읽어야 한다.'는 고정 관념을 깨야 합니다. 또한 반드시 앞에서 뒤로 책의 페이지 순서대로 읽어야 할 필요도 없습니다. 책의 필요한 부분만을 골라서 보면 됩니다. 그리고 순서대로 볼 필요도 없습니다. 필요에 따라 여기 저기 보고 싶은 부분만을 먼저 보아도 됩니다.

이러한 독서를 다치바나 다카시는 '음악적 책읽기에서 회화적 책읽기'로 전환해야 한다는 재미있는 표현법을 사용합니다. 음악은 시간에 따라 순서대로 들어야 하는 예술장르입니다. 음악은 중간에 듣거나 여기 저기 들어서는 제대로 감상할 수 없습니다. 반드시 처음부터 빠트리지 말고 끝까지 들어야만 음악은 제대로 감상됩니다. 그러나 그림은 다릅니다. 그림은 보고 싶은 부분만 골라서 보면 됩니다. 그러므로 속독을 하기 위해서는 음악적인 책읽기를 해서는 안 되고, 회화적 책읽기를 해야 한다는 것입니다.

그렇다면 어디에 책의 가장 중요한 내용이 담겨있을까요? 책의 종류에 따라 다릅니다. 그러나 일반적으로 지식과 정보를 전달하는 책의 경우 책의 가장 중요한 정보가 농축된 몇 군데의 정보창고들이 있습니다. 이러한 책의 중요한 정보가 요약되어 담긴 부분은 바로 책의 표지에 실린 문구나 책의 서문, 서론, 결론에 담겨있습니다. 따라서 속독을 하기 위해서는 이러한 부분부터 먼저 살펴보는 것입니다. 그러면 전체적인 책의 주제나 핵심내용들을 빠른 시간 내에 파악할 수 있습니다. 그리고 목차를 보면서 자기가 필요한 부분을 집중적으로 읽으면 됩니다.

3) 문단 읽기를 통한 속독법

둘째, 속독을 하기 위해서는 책을 문단 단위로 읽으면 도움됩니다. 책을 한 글자 한 글자, 혹은 한 줄 한 줄 읽어 내려가지 말고, 문단 단위로 성큼성큼 읽어가라는 것입니다. 글에 따라 차이는 있지만 우리가 읽는 글은 분량에 따라 크게 200매 원고지 1매 분량의 문단, 200자 원고지 10매 분량 혹은 A4용지 1매 분량의 단문, 200자 원고지 100매 분량 혹은 A4용지 10매 분량의 장문(소논문, 에세이, 보고서, 책의 한 장 등) 200자 원고지 1000매 분량 혹은 A4용지 100매 분량의 책(한 편의 학위 논문이나 읽기 쉬운 분량의 책)으로 구분할 수 있습니다.

물론 이것은 일반적인 분량이고 글이나 책에 따라서 이러한 분량은 상대적으로 더 많을 수도 있고, 더 적을 수도 있습니다. 그러나 아무리 긴 책이라 할지라도 생각의 기본적인 단위는 약 200자 원고지 1매 정도로 이루어진 단락입니다. 우리는 흔히 이러한 단락을 문단이라 부르기도 합니다.

이렇게 단락단위로 책을 읽어도 책의 내용과 정보를 알 수가 있습니다. 왜냐하면 글의 짜임새는 한 단락이 기본이기 때문입니다. 한 단락은 하나의 생각이나 주제를 담고 있는 최소한의 분량입니다. 또한 단락단위로 책을 읽는다는 것은 한 단락을 다 읽지 말고, 단락의 첫 문장 혹은 마지막 문장만을 읽어간다는 것입니다. 왜냐하면 대부분의 경우 한 단락의 첫 문장이나 마지막 문장에 열쇠문장이 있기 때문입니다. 나머지 문장은 이 주제문장을 설명하기 위한 것이 대부분입니다. 따라서 한 단락의 첫 문장만을 연결해서 읽어 가면 금방 한 권의 책을 읽을 수 있고, 그 책의 중요 내용은 다 읽는 셈이 되는 것입니다.

동경대 교수인 노구치 유키오는 자신의 「초학습법」에서 국어 공부를 하는 방식 중의 하나로서 이 '단락 읽기'를 크게 강조합니다. 물론 모든 책을 이런 식으로만 읽어서는 안 됩니다. 또한 독서목적에 따라서 이렇게 속독으로 골라 읽기나 문단 읽기를 해서는 안 되는 경우가 많습니다. 이러한 속독은 필요할 때, 또한 속독해도 되는 종류의 책을 읽을 때 사용하면 독서의 큰 진전을 이룰 수 있습니다.

글을 닫으며

책 읽는 방법을 바꾸면 인생이 바뀐다

독서목적에 맞는 독서방법론이라는 테마로 강의한 지금까지의 내용을 다시 한 번 정리하면 다음과 같습니다. 독서의 목적은 첫째로 즐거움을 위한 독서, 둘째로 지혜와 윤리적 실천을 위한 인격 성숙을 위한 독서, 셋째로 지식과 정보를 위한 실용 독서의 3가지로 크게 구분할 수 있습니다. 독서의 방법은 이러한 독서의 목적에 가장 적합한 방법일 때 최대한의 독서 효과를 기대할 수 있습니다.

목적으로서의 독서를 위한 독서법

3가지의 독서목적 중에서 첫째, 즐거움을 위한 독서는 독서 자체를 목적으로 하는 경우입니다. 책 읽는 자체에서 즐거움을 얻는 것입니다. 이런 경우에는 책읽기가 취미가 될 수 있습니다.

혹자는 어떻게 책읽기가 취미가 될 수 있느냐고 말할 수 있습니다. 음악감상 · 여행 · 낚시 등은 취미가 될 수 있는데 왜 독서는 취미가 될 수 없습니까? 음악가에게는 음악감상이 직업적 활동이 되고, 여행가는 여행자체가 직업적 사역이 될 수 있지만 다른 직업을 가진 사람들에게 음악감상이나 여행은 취미가 될 수 있습니다. 이러한 활동을 통해 무엇인가를 얻으려고 하기보다 이러한 활동 자체를 즐기고 좋아하는 것이기 때문입니다. 음악감상이나 여행을 통해 무엇인가 다른 목적을 얻으려고 한다면 이것은 수단적인 활동이 되고, 결코 즐거움이 최고 목적은 아닐 것입니다. 그러나 음악감상 자체, 여행 자체가 목적이 된다면 이것은 훌륭한 취미활동이 될 수 있습니다.

책읽기도 마찬가지입니다. 책 읽는 자체를 즐기기 위해서 할 때는 책읽기 자체가 마지막 목적이 되는 것입니다. 그래서 이런 의미에서의 책읽기는 얼마든지 훌륭한 취미생활의 한 영역이 될 수 있습니다.

이 책에서는 취미를 위한 독서, 즐거움을 위한 독서법에 대해서는 말하지 않았습니다. 이러한 독서방법을 굳이 자세하게 설명할 필요는 없기 때문입니다.

즐거움을 위한 목적의 독서라면 시간을 두고 천천히 음미하면서 독서 자체를 즐기면 됩니다. 취미 생활을 위한 독서는 지식과 정보를 위한 독서처럼 쫓기듯이 속독을 할 필요도 없고, 탐욕스럽게 다독을 할 필요도 없습니다. 또한 인격 성숙을 위한 독서처럼 정독하면서 반복해서 읽을 필요도 없습니다. 그냥 편안하고 즐거운 마음으로 천천히 독서 행위 자체를 즐기면 되기 때문입니다.

수단으로서의 독서를 위한 독서법

즐거움을 위한 독서와는 달리 인격 성숙을 위한 독서나 정보나 지식을 얻기 위한 독서는 독서 자체가 목적이 아니라 독서는 하나의 수단이 됩니다. 즉 독서를 하는 최종 목적이 독서 자체가 아니라 인격 성숙이나 정보 획득입니다. 독서는 단지 이러한 목표를 이룰 수 있는 수단으로 사용됩니다.

따라서 수단적 독서는 크게 인격 성숙을 위한 독서와 지식과 정보를 얻기 위한 실용적 독서로 나눌 수 있습니다. 지금까지 필자가 강의한 독서법은 주로 이 두 가지 목적의 독서법에 대한 것이었습니다.

인격 성숙을 위한 독서에서 가장 중요한 독서 방법은 많은 책을 빨리 읽는 것이 아니라 한 권의 책을 철저하게 여러 번 반복해서 읽는 것이라고 했습니다. 즉 정독과 재독이 인격 성숙을 위한 독서에서 가장 중요한 독서법입니다.

그러나 지식과 정보를 얻기 위한 실용적 목적을 가진 독서의 가장 중요한 독서 방법은 하나의 주제에 대해 많은 책을 빨리 읽는 것이라고 했습니다. 그러므로 다독과 속독이 필요하다고 했습니다.

독서목적과 지 · 정 · 의의 인격의 3요소와의 관계

또한 이러한 일반적인 3가지의 독서 목적은 우리 인간의 인격적인 3요소와도 깊은 관련을 맺고 있습니다.

인간의 인격적 요소에는 지성 · 감정 · 의지의 3요소가 유기적으로 통합되어 있습니다. 인간답게 살기 위해서는 이러한 인격의 3요소가 골고루 균형을 이루어야 하며, 또한 모두 제각기 기능을 발휘해야 합니다. 이런 면에서 독서는 전인적인 것이어야 합니다. 독서에는 우리의 지성이 필요하고, 감정도 개입되고, 의지도 참여합니다.

그러나 현실적으로 우리 인간의 삶 속에서는 이러한 인격적인 3요소 중 지나치게 어느 특정한 요소만 강조되는 경향이 많습니다. 독서를 하되 때로는 지적인 충족만을 위해서, 때로는 감정적인 충족만을 위해서, 때로는 의지적인 행동의 실천만을 더욱 강조하면서 할 수 있습니다.

첫째로, 인간의 감정적인 만족만을 위한 독서는 바로 독서의 3가지 목적 중 즐거움을 위한 독서에 해당됩니다. 물론, 즐거움을 위한 독서에도 지적인 정보를 얻고, 의지적인 행동이 부수적으로 동반되기도 합니다. 그러나 주된 목적은 감정적인 즐거움을 위한 것입니다. 다른 지적이며, 의지적인 요소들은 부수적인 목적입니다.

둘째로, 인간의 의지와 윤리적 행동을 강조하는 독서는 독서의 3가지 목적 중 인격 성장을 위한 독서에 해당됩니다. 이러한 책읽기는 도덕적 행동과 윤리적 실천을 주된 목적으로 책을 읽는 것입니다. 인간답게 행동하기 위해, 인간답게 처신하기 위해서 독서를 하는 것입니다.

이러한 인격 수양을 위한 독서가 주된 목적이라 하더라도 지식과 정보를 얻게 되고, 또한 즐거움을 얻기도 합니다. 그러나 이러한 것은 목적상 부수적인 것입니다.

셋째로, 인간의 지성을 강조하는 독서는 독서의 3가지 목적 중 지식과 정보를 얻기 위한 실용적 독서에 해당됩니다. 이것은 독서의 가장 중요한 목적이 지식과 정보를 얻기 위한 것이라는 말이지 이러한 실용적인 독서를 한다고 해서 전혀 감정적인 즐거움이 동반되지도 않고, 의지적인 행동의 변화도 수반이 안 된다는 것이 아닙니다.

독서방법은 독서목적에 따라 사용해야 한다

결국, 독서는 통합적인 것이며, 전인적인 것일 수밖에 없습니다. 그러나 상대적으로 어떤 요소를 중심에 두고, 다른 요소를 부수적인 요인으로 두느냐에 따라 우리는 독서의 목적을 지성을 위한 독서, 감정을 위한 독서, 의지를 위한 독서 또는 지식과 정보를 위한 실용적 독서, 즐거움을 위한 독서, 인격 성숙을 위한 독서로 구분하게 됩니다.

이러한 사실을 통해서 우리가 확인할 수 있는 것은 우리가 독서를 할 때, 어느 특정한 독서의 목적만을 가지고 모든 책을 읽을 수는 없다는 것입니다. 그러므로 우리가 책을 읽을 때, 특정한 독서의 목적만을 고집하는 것은 너무 독선적이고, 편협한 발상이 됩니다.

우리는 인간이기 때문에 또한 인격적으로 지성 · 감정 · 의지의 3요소를 모두 가지고 있기 때문에 때에 따라서는 즐거움을 위한 독서를, 때에 따라서는 인격 성장을 위한 독서를, 그리고 때에 따라서는 지식

획득을 위한 독서를 할 수밖에 없습니다.

모든 책은 이러한 3가지의 독서목적으로 모두 읽을 수 있습니다. 또한 3가지 목적 중의 어느 한가지 목적으로 한 권의 책을 읽더라도 거기에는 부수적이지만 반드시 다른 독서의 목적도 들어있기 마련입니다. 그러나 우리가 한 권의 책을 읽을 때, 한 번에 3마리의 토끼를 모두 잡을 수는 없습니다. 그래서 책을 읽을 때는 내가 왜 어떤 목적으로 읽는가를 분명히 하고 읽는 것이 훨씬 효과적이고 훨씬 지혜로운 행동이라 할 수 있습니다. 이렇게 비록 상대적이기는 하지만 특정한 목적을 가지고 책을 읽을 때는 특정한 방법을 사용하는 것이 또한 지혜로운 것입니다.

지혜로운 독서 방법이란 독서의 목적에 가장 잘 부합되는 독서법입니다. 유일무이한 독서법이란 없습니다. 독서의 방법은 참으로 다양합니다. 그리고 독서의 방법은 독서의 목적에 따라 적절하게 사용되어야 합니다.

가장 좋은 독서법이란 자신이 세운 독서의 목적을 가장 잘 이룰 수 있는 방법입니다. 분명 즐거움을 위한 독서의 방법과, 인격 수양을 위한 독서의 방법, 그리고 지식 획득을 위한 독서의 방법은 다릅니다. 좋은 독서법이란 목적에 맞는 독서의 방법을 선택하는 것입니다. 나쁜 독서법이란 목적에 맞지 않는 독서의 방법을 선택하는 것입니다.

전통적이며 검증된 독서 방법

그 동안 제가 제시한 이러한 독서 방법은 제 개인의 독단적인 독서 방법론이라기보다도 수천 년간 인간이 독서행위를 해 온 이래 여러 훌륭한 독서가들에 의해 사용되어 왔던 전통적인 독서 방법입니다. 훌륭한 독서가들에 의해 검증된 것들을 저는 조금 체계적으로 소개한 것에 불과합니다. 그래서 저는 의도적으로 제가 소개한 독서 방법에 따라 책을 읽었던 동서고금의 수많은 훌륭한 독서가들의 사례들을 많이 인용했습니다. 역사적인 실례를 통해 저의 주장을 뒷받침하는 충분한 근거가 있음을 보여 주려 한 것입니다.

이것이 얼마나 독자들에게 설득력이 있었고, 호소력이 있었는지는 모르겠습니다. 아마 지금까지 제가 제시한 이러한 방식으로 독서를 해 온 분들은 자신의 독서 방법이 오랜 독서 전통과 맥이 닿아 있는 것이라는 것을 알고 기뻤으리라고 생각합니다.

또한 그렇지 못한 분들은 자신만의 우물안 개구리 식의 독서법에서 벗어나 역사상 수많은 독서가들에 의해 사용되어 온 독서 방법에 대한 새로운 통찰력을 얻게 되었을 것입니다. 이런 분들은 이 책에서 소개된 방식 중 실천 가능한 것들부터 골라서 한번 시도해 보도록 하십시오. 이런 분들에게는 이 책이 독서 생활에 있어서 작은 전환점 아니, 큰 혁명이 될 수도 있을 것입니다.

책 읽는 방법을 바꾸면 인생이 바뀝니다.

참고문헌

1. 본서에서 인용된 독서에 관련된 책

김정진. 2001. 독서불패. 서울: 크레랑.

노구치 유키오. 1996. 초학습법. 김용운 옮김. 서울: 중앙일보사.

다치바나 다카시. 2001. 나는 이런 책을 읽어왔다. 이언숙 옮김. 서울: 청어람미디어.

모티머 애들러. 1986. 독서의 기술. 문병덕 옮김. 서울: 범우사.

1997. 논리적 독서법. 오연희 옮김. 서울: 예림기획.

1988. 자유인을 위한 책읽기. 최영호 옮김. 서울: 청하.

2000. 생각을 넓혀주는 독서법. 독고앤 옮김. 서울: 멘토.

박희병. 1998. 선인들의 공부법. 서울: 창작과비평사.

송주복. 1999. 주자서당은 어떻게 글을 배웠나. 서울: 청계.

와타나베 쇼이치. 1998. 지적생활의 방법. 김욱 옮김. 서울: 세경북스.

정민. 2002. 책읽는 소리. 서울: 마음산책.

정을병. 2002. 독서와 이노베이션. 서울:청어.

Glaspey, Terry W. 2001. Great Reading: *A Guided Tour of Classic & Contemporary Literature*. Illinois: IVP.

Petersen, William J & Petersen, Randy. 2000. *100 Christian Books That Changed the Century*. *Grand Rapids* :Fleming H. Revell.

2. 기타 본서에서 인용된 참고문헌

길진경. 1980. 영계 길선주. 서울: 종로서적.

마틴 로이드 존스. 1977. **목사와 설교.** 서문 강 역. 서울: 기독교문서선교회.

1990. **청교도 신앙.** 서문 강 역. 서울: 생명의말씀사.

박용규. 1991. **김익두 목사 전기.** 서울: 생명의 말씀사.

백금산. 1999. **조나단 에드워즈처럼 살 수는 없을까.** 서울: 부흥과개혁사.

스펄전. 1982. **목회자 후보생들에게1.** 이종태 옮김. 서울: 생명의말씀사.

아놀드 델리모어. 1993. **찰스 스펄전.** 김동진 옮김. 서울: 두란노.

이 이. 1998. **격몽요결.** 이민수 옮김. 서울: 을유문화사.

이안 머레이. 1990. **마틴 로이드 존스의 초기 40년.** 서문 강 옮김. 서울: 청교도신앙사.

장 카디에. 1997. **'칼빈과 어거스틴'**. 양명수 외 10인. **오늘의 어거스틴.**
서울: 대한기독교서회.

정약용. 1991. **유배지에서 보낸 편지.** 박석무 편역. 서울: 창작과비평사.

제임스 패커. 1992. **청교도 사상.** 박영호 역. 서울: 기독교문서선교회.

존 오웬. 1991. **죄와 유혹.** 엄성옥 역. 서울: 은성.

크리스티아니. 1997. **'루터와 어거스틴'**. 양명수 외 10인. **오늘의 어거스틴.**
서울:대한기독교서회.

프레드릭 캐서우드 · 엘리자베스 캐서우드. 1993.
마틴 로이드 존스와 그의 독서생활. 이중수 옮김. 서울: 양무리서원.

피터 드러커. 2001. **프로페셔널의 조건.** 서울: 청림출판.

하창환 · 김종석. 2001. **배우지 않으면 알지 못 하고, 힘쓰지 않으면 하지 못 한다.**
서울: 일송미디어.

Piper, John. 1999. *God's Passion for His Glory.* Leiceter: IVP.

초판발행 | 2002년 12월 20일
5쇄발행 | 2003년 5월 20일
지은이 | 백금산
디자인 | 디자인집 Tel. 02) 521-1474
펴낸이 | 백금산
펴낸곳 | 부흥과개혁사

주소 | 서울시 서대문구 연희 3동 88-33
전화 | Tel. 02) 332-7752, 337-4645(팩스겸용)

ISBN 89-88614-15-1
ISBN 89-88614-14-3(전3권)

등록 | 1998년 9월 15일 (제13-548호)

총판 | 예영커뮤니케이션 Tel. 02) 766-7912/3 Fax. 02) 766-8934

값 7,000원

성경, 이렇게 읽읍시다 (63쪽/ 1,500원)

▶ 전세계에서 가장 많이 애용되고 있는 맥체인식 성경읽기 방식에 대한 신선한 안내서. 21세기 한국교회 성경읽기의 새로운 패러다임으로 정착될 성경읽기의 새로운 대안제시. ▶ 발간되자마자 5개월 만에 5쇄 발행되며, 중국어로 번역될 정도로 좋은 반응을 얻고 있다. 이 책을 통해서 한국교회에 새로운 성경읽기의 바람이 조용히 불고 있다.

신앙전기를 읽으면 하나님의 일하심이 보인다 (123쪽/ 3,500원)

▶ 신앙성장과 신학공부의 출발점이 되는 위인전기 읽기에 대한 종합적이고 체계적인 길잡이. ▶ 무슨 책을 읽어야 할까, 어떻게 책을 읽어야 할까를 고민하는 이들에게 만족감을 주는 참신하고 실제적인 위인전기 독서론. 신앙독서지도에 좋은 모델이 되는 책이다.

조나단 에드워즈처럼 살 수는 없을까? (258쪽/ 7,500원)

▶ 기독교 경건서적 중에서도 고전으로 칭해지는 에드워즈의 심오한 영적 체험과 철저한 성숙노력이 담긴 자서전, 결심문, 일기와 더불어 백금산 목사의 탁월한 분석과 적용의 길잡이 글이 함께 담겨있는 우리 시대의 새로운 명저로 영적 거인중의 거인 조나단 에드워즈 이해의 가장 감동적인 입문서. ▶ 작은도서관협회에서 기독교 부분 좋은 책으로 추천할 정도로 이미 수많은 목회자와 평신도들이 함께 읽으면서 은혜의 감동을 체험하고 있다.

캠퍼스를 태운 하나님의 부흥을 말한다 (292쪽/ 8,000원)

▶ 1995년 미국 휘튼대학을 중심으로 미국 전역에 확산되었던 가장 최근에 일어난 부흥이야기. ▶ 캠퍼스의 부흥을 사모하는 선교단체와 교회 청년, 대학부의 필독서로 자리매김할 부흥소개서. 백금산 목사와 더불어 부흥을 사모하는 예수가족교회 성도들이 개척 설립기념으로 함께 번역한 점이 이채롭다.

목회자의 책읽기 혁명 (91쪽/ 3,000원)

▶ 목회자에게 책읽기에 대한 도전과 구체적인 안내와 방향을 제시하는 책. 근본적인 위기 의식에서 잉태된 책. 문제의 핵심은 곧 목회자의 영적 성숙의 문제. ▶ 목회자의 영성과 신학적 묵상과 경건에 대하여 일찍이 우리 시대와 같은 천박함을 드러낸 때도 없다. ▶ 이 책은 바로 이같은 우리 한국 교회와 목회자의 근본적 문제 앞에 대안을 제시하려는 열망에서 나온 것이다.

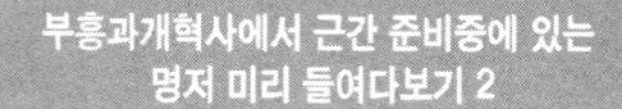

하나님에 의한 참된 부흥과 인위적인 부흥의 차이점

부흥과 부흥주의

지은이/ 이안 머레이

금세기 최고의 전기작가이자 부흥사가인 이안 머레이가 쓴 이 책은 사람에 의한 인위적인 부흥과 하나님에 의한 참된 부흥의 차이가 무엇인지를 미국교회의 부흥의 역사를 통해 분명하게 제시한 명작이다. 이 책을 통해 참 부흥과 거짓 부흥을 구별하는 참된 분별기준을 확실하게 알기 전까지는 부흥에 대해 너무 쉽게 이야기하지 말라. 당신이 말하는 부흥은 성경이 말하는 참된 부흥이 아니라 성경이 반대하는 거짓 부흥일 수 있다. 이안 머레이의 「부흥과 부흥주의」는 부흥과개혁사의 '부흥관' 을 대표적으로 잘 보여주는 부흥에 관한 우리 시대의 새로운 고전이다.

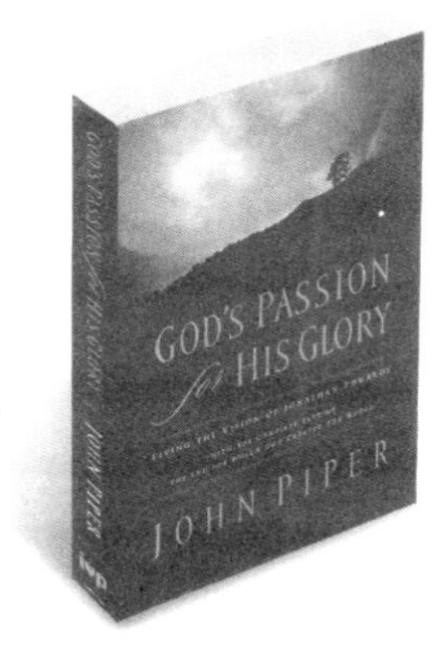

존 파이퍼의 영적 스승 조나단 에드워즈 입문서

하나님의 영광을 위한 하나님의 열심

지은이/ 존 파이퍼

현재 미국의 가장 영향력있는 복음주의 지도자 존 파이퍼를 형성한 영적 멘토는 바로 18세기 영적 거인 조나단 에드워즈였다. 파이퍼는 이 책을 통해서 자신의 지나간 30년 간의 삶과 목회와 신학이 조나단 에드워즈의 생애와 신학을 통해서 어떻게 결정적인 영향을 받게 되었는지를 밝히고 있다. 존 파이퍼 사상의 핵심은 '하나님의 최고 목적은 하나님 자신을 영원토록 즐거워하며 하나님 자신을 영화롭게 하는 것' 이며 '인간의 최고 목적은 하나님을 영원토록 즐거워함으로써 하나님을 영화롭게 하는 것' 이라는 것이다. 다른 말로 하자면 '인간이 하나님을 최고로 즐거워할 때, 하나님은 최고의 영광을 받으신다는 것' 이다. 파이퍼는 이 책의 1부를 통해서 이러한 자신의 사상이 바로 조나단 에드워즈의 「하나님이 세상을 창조하신 목적」이라는 책을 통해서 왔다는 사실을 보여주고 있다. 그리고 2부는 에드워즈의 「하나님이 세상을 창조하신 목적」의 전문을 소개하면서 철저하게 분석하여 독자들이 에드워즈의 걸작을 바르게 이해하도록 돕고 있다. 조나단 에드워즈의 이 책은 인생의 목적인 하나님의 영광에 대한 가장 탁월한 저서다.

백금산 목사의

요한계시록 수련회 강의테이프

'요 한 계 시 록' 을 알 면 성 경 이 열 린 다 !

요한계시록은 어렵고 무서운 접근금지의 성경책?
그러나 "이 예언의 말씀을 읽는 자와 듣는 자들과
지키는 자들이 복이 있나니" (계1:3)라는 말씀을 누리게 하는 강의!
요한계시록을 새롭게 열어주는 신선한 충격과 은혜로운 감동의 명강의!

이 요한계시록 강의 테이프는 '98년 여름
호주 퍼스지역 한인 청년연합 집회에서
백금산 목사가 4박 5일 동안
하루 7~8시간씩 전체 8번의 예배시간에 걸쳐
16개의 강의를 통해 요한계시록 전체를
집중적으로 강해한 것입니다.

강의내용

제1강 요한계시록 해석사와 4가지 대표적 해석방법
제2강 요한계시록의 장르와 해석원리
제3강 요한계시록의 구조와 문학적 구성기법
제4강 서언(1:1~8)
제5강 인자환상(1:9~20)
제6강 일곱 교회에 보내는 메시지(2~3장)
제7강 보좌에 앉으신 분과 어린양(4~5장)
제8강 일곱인 심판(6~7장)
제9강 일곱나팔 심판(8~9장)
제10강 펼쳐진 책과 두 증인의 세계선교 (10~11장)
제11강 사탄의 3인조와 전투하는 교회(12~14장)
제12강 일곱 대접 심판(15~16장)
제13강 큰 성 바벨론의 멸망(17~19:10)
제14강 재림과 최후의 심판(19:11~21:8)
제15강 거룩한 성 새 예루살렘의 완성 (21:9~22:5)
제16강 종언(22:9~21) 및 요한계시록이 우리에게 주는 교훈

주문방법 : 강의 테이프(90분 16개) 48,000원(강의안 포함) 을 온라인으로 입금하시고
전화로 주문하시면 우송료 본사 부담으로 보내드립니다.
우리은행 137-08-055219 예금주 김은주
국민은행 371-21-0183-887 예금주 김은주 / 전화: 02-332-7752

부흥과개혁사

백금산 목사의

로이드 존스 강좌 강의테이프

'로이드 존스'를 배우면 성경과 설교, 목회와 신학이 보인다!

로이드 존스는 20세기 최고의 복음주의 설교자이자, 2000년 교회사에 우뚝선 영적 거인들인 어거스틴(5세기), 칼빈(16세기), 존 오웬(17세기), 조나단 에드워즈(18세기), 찰스 스펄전(19세기)의 영적 맥을 계승하고 있는 목회자의 목회자 즉 목회자들을 위한 영적 스승입니다. 백금산 목사의 로이드 존스 강좌는 방대한 로이드 존스의 저서들을 읽고 이해함으로써 로이드 존스를 개인적인 영적 멘토로 삼고자하는 사람들에게 로이드 존스의 성경해석과 설교와 목회와 신학을 종합적이고 체계적으로 안내해 주는 길잡이가 됩니다.

백금산 목사의 로이드 존스 강좌 강의테이프는
평공목 영적거인학교에서 2000년 2학기(9~11월)에 강의한 내용입니다.

강의내용

제1강 로이드 존스의 생애와 사상이 주는 교훈
제2강 로이드 존스의 설교관
제3강 로이드 존스의 부흥관
제4강 로이드 존스의 성령세례관
제5강 로이드 존스의 청교도관
제6강 로이드 존스의 교리관
제7강 로이드 존스의 대표적 전도설교 읽기 및 분석
제8강 로이드 존스의 대표적 생활설교 읽기 및 분석
제9강 로이드 존스의 대표적 교리설교 읽기 및 분석
제10강 로이드 존스의 대표적 강의읽기 및 분석

주문방법: 강의 테이프(90분 10개) 40,000원을 온라인으로 입금하시고
전화로 주문하시면 우송료 본사 부담으로 보내드립니다.
우리은행 137-08-055219 예금주 김은주
국민은행 371-21-0183-887 예금주 김은주 / 전화:02-332-7752

부흥과개혁사

맥체인

성경읽기표

• 부흥과개혁사 펴냄 / 1장 값 300원

불변하는 진리의 말씀 성경, 성도를 살게 하는 영혼의 양식 성경. 그런데 도대체 어떻게 읽어야 하는 걸까? 19세기 스코틀랜드의 경건한 목회자 로버트 맥체인 목사가 만들어 내고, 존 스토트와 로이드 존스가 무한한 유익을 누리며 사용했던 '맥체인성경읽기표'. 우리는 이 작은 표 한 장에서 성경읽기의 대안과 말씀의 기쁨을 만나게 된다.

"개인적으로 나는 전에 웨스트민스터 채플 목사였던 마틴 로이드 존스 박사께서 20년 전쯤 '맥체인성경읽기표'를 나에게 소개해 준 것에 감사하고 있습니다. 내게 있어서 기복이 심한 성경의 전체를 개관하며, 그 기저에 깔려 있고 반복되어 나타나는 주제를 파악하는 데 이보다 더 도움이 되는 것은 없었습니다."

존 스토트

영혼의 양식이요 영적 성숙의 원천이 되는 성경,
'맥체인성경읽기표'에 따라 이렇게 읽으십시오.

첫째, 성경을 매일 읽겠다는 결심을 하십시오.

둘째, 매일 시간을 따로 떼어놓으십시오.

셋째, 가정에서 사용할 수 있습니다.

넷째, 개인적으로 표를 따라 읽어 가십시오.

다섯째, 교회적으로 사용할 수 있습니다.

여섯째, 너무 완벽하게 읽으려고 하지 마시고 성경읽기에 헌신하십시오.